# La lecture partagée

Sue Brown

**Adaptation : Léo-James Lévesque**
**Traduction : Michel Arsenault**

Chenelière
Éducation

**La lecture partagée**

Traduction de : *Shared Reading for Grades 3 and Beyond : Working It Out Together* de Sue Brown © 2004 Learning Media Limited (ISBN 0-4782-7380-0)

© 2007 Les Éditions de la Chenelière inc.

*Édition :* Lise Tremblay
*Coordination :* Nadine Fortier
*Révision linguistique :* Annick Loupias
*Correction d'épreuves :* Suzanne McMillan
*Conception graphique :* Josée Bégin
*Infographie :* Louise Besner, Point-Virgule
*Conception de la couverture :* Josée Bégin

**Catalogage avant publication**
**de Bibliothèque et Archives Canada**

Brown, Sue

La lecture partagée

Traduction de : Shared reading for grades 3 and beyond.

ISBN 2-7650-1515-5

1. Lecture (Enseignement primaire). 2. Enseignement primaire - Méthodes actives. 3. Élèves du primaire - Livres et lecture. I. Lévesque, Léo-James. II. Titre.

LB1525.B7614 2006        372.4        C2006-941317-7

**Chenelière Éducation**

7001, boul. Saint-Laurent
Montréal (Québec)
Canada H2S 3E3
Téléphone : (514) 273-1066
Télécopieur : (514) 276-0324
info@cheneliere.ca

**ISBN 2-7650-1515-5**

Dépôt légal : 1er trimestre 2007
Bibliothèque et Archives nationales du Québec
Bibliothèque et Archives Canada

Imprimé au Canada

1 2 3 4 5 IL 10 09 08 07 06

Nous reconnaissons l'aide financière du gouvernement du Canada par l'entremise du Programme d'aide au développement de l'industrie de l'édition (PADIÉ) pour nos activités d'édition.

Gouvernement du Québec – Programme de crédit d'impôt pour l'édition de livres – Gestion SODEC.

# Table des matières

# Introduction

Tout était prêt. Les élèves attendaient de voir le poème à l'écran. L'enseignante leur demanda de retenir les images qui leur viendraient à l'esprit pendant la lecture. Elle cacha le titre pour garder le secret et stimuler leur imagination. Elle lut à haute voix et avec beaucoup d'expression tout en faisant défiler le texte une ligne à la fois, sur l'écran. Les élèves écoutaient attentivement et suivaient chaque mot. À la fin, elle prolongea le silence, pour que les élèves continuent de visualiser le poème.

«Essayez de décrire les images que vous avez en tête comme le ferait un auteur», demanda l'enseignante. Elle aida les élèves les plus réservés à trouver le vocabulaire nécessaire pour exprimer leur pensée.

«Maintenant, tournez-vous vers votre voisin et échangez vos idées sur ce poème. Décrivez vos images en utilisant un vocabulaire le plus précis possible.»

La conversation s'animait de plus en plus à mesure que les élèves communiquaient leurs idées, les justifiaient et discutaient sur le thème du poème. Après quelques minutes, l'enseignante arrêta leurs discussions et relut le poème pendant qu'ils suivaient le texte sur l'écran. Elle demanda à quelques élèves de faire part de leur échange à la classe. Finalement, elle dévoila le titre et vérifia leur compréhension :

- *Que ressent l'auteur au sujet de la tornade ? Quels mots vous l'indiquent ?*
- *À quoi compare-t-il la tornade ? Pourquoi cette comparaison est-elle efficace ?*
- *Comment a-t-il pu connaître les tornades ?*

L'enseignante avait fixé trois objectifs à cette leçon. Elle voulait que les élèves soient capables de comprendre et d'apprécier un poème. Elle voulait qu'ils réfléchissent à la source des renseignements de l'auteur et déterminent les moyens employés pour transmettre ses sentiments sur la tornade. Les deux derniers objectifs correspondaient à l'idée qu'elle se faisait des élèves en tant qu'écrivains. Elle savait qu'ils pouvaient écrire des textes informatifs en utilisant différentes sources de renseignements, mais elle voulait leur faire comprendre qu'un texte poétique permettait aussi à son auteur de transmettre des faits et une réaction personnelle sur un sujet donné.

Cette période de lecture partagée avait capté l'attention de toute la classe et s'était avérée une expérience d'apprentissage enrichissante. Le grand format du texte et la lecture à haute voix permettaient à l'enseignante d'indiquer aux élèves chaque mot du poème. Les questions cibles suivies de discussion avaient amené les élèves à approfondir leur compréhension du poème. De plus, ils avaient eu l'occasion de découvrir un genre littéraire utile à leurs lectures et à leurs rédactions.

---

**La tornade**

*De sombres nuages
roulent à l'horizon.
De village en village,
tu laisses dégâts et désolation.*

*Arbres déracinés,
maisons éventrées,
Tu fais toujours rage
sur ton bref passage.*

*Par ta fureur de quelques instants,
rien n'est jamais plus comme avant.
Comme tu dois en être fière
Sinistre sorcière !*

Léo-James Lévesque, 2006.

*Dans un programme de lecture équilibrée, la lecture partagée est une composante importante de l'enseignement et de l'apprentissage. Elle donne, aux élèves des deuxième et troisième cycles du primaire, l'appui nécessaire pour consolider leurs habiletés de lecteurs. La lecture partagée amène les élèves à développer de bonnes stratégies de lecture qui leur serviront tout au long de leur vie.*

Elizabeth, enseignante en cinquième année.

Les enseignants évaluent les habiletés de lecture et la compréhension des élèves au cours de leur progression au cycle moyen et intermédiaire. Les textes proposés aux élèves du cycle moyen deviennent de plus en plus diversifiés et complexes afin de répondre à leurs besoins en littératie. Cette progression ne pose aucun problème à la plupart d'entre eux. Cependant, certains ont besoin d'aide et d'enseignement explicite pour maintenir leur motivation et leur confiance en lecture. La lecture partagée permet aux enseignants de modéliser dans un contexte significatif la lecture d'un texte plus complexe ou moins familier. Pendant une période de lecture partagée, l'enseignant lit le texte avec la participation grandissante des élèves et l'explore en interaction constante avec eux.

Les élèves sont encouragés à travailler avec l'enseignant et leurs pairs afin de développer de nouvelles stratégies de compréhension en lecture. Ils apprennent à résoudre leurs problèmes de lecture et à appliquer des stratégies dans un contexte significatif. Les lecteurs utilisant des stratégies ont une meilleure compréhension en lecture. Ils utilisent simultanément un éventail de stratégies et les coordonnent pour mieux comprendre un texte. Ils comprennent que la lecture est un processus de résolution de problèmes. Le support offert par la lecture partagée aide les élèves à se représenter plus clairement ce processus complexe. Quand ils observent un lecteur habile qui lit devant eux, les élèves apprennent à appliquer des stratégies et des techniques de résolution de problèmes à leur lecture. La lecture partagée est une approche d'apprentissage en collaboration qui contribue à bâtir la confiance des élèves, à enrichir leurs connaissances, à développer des habiletés supérieures de pensée et à apprendre de nouvelles façons d'aborder les textes.

## À qui s'adresse cet ouvrage ?

Fondé sur les recherches les plus récentes, cet ouvrage explore l'efficacité de la lecture partagée avec les élèves à partir de la troisième année. Il a été rédigé à l'intention des enseignants à la recherche d'une approche visant à développer des habiletés de lecture, d'écriture et de réflexion chez les élèves.

Cet ouvrage s'adresse au personnel enseignant désireux de susciter l'enthousiasme pour la lecture et de motiver les élèves à vouloir lire davantage. La lecture partagée est une approche particulière qui suppose la transmission de sa passion pour la lecture et la communication de stratégies utiles pour comprendre une variété de textes.

Les enseignants qui utilisent cette approche pour la première fois y trouveront les indications dont ils ont besoin pour mener à bien une session de lecture partagée. Les mentors en littératie, les directeurs d'école, les spécialistes en formation continue et les responsables de l'amélioration de l'enseignement y trouveront des stratégies leur permettant de préparer et de mener des sessions de perfectionnement professionnel.

Les enseignants doivent modeler le travail en collaboration. La lecture partagée est un moyen de modéliser et de développer les habiletés en littératie. Cette approche encourage la discussion et l'interaction, non seulement des élèves, mais aussi des élèves et de leur enseignant. Les enseignants utilisent la lecture partagée pour présenter ou réviser les connaissances.

Les enseignants qui privilégient les activités interactives constateront que la lecture partagée constitue une approche pédagogique intéressante favorisant une plus grande participation des élèves et offrant de nombreuses occasions d'apprentissage.

La lecture partagée peut être utilisée dans tous les domaines d'études. Cette approche est très efficace, car elle relie l'enseignement spécifique d'une matière à l'enseignement de la lecture. Elle aide à développer des stratégies de compréhension nécessaires à la lecture de textes plus complexes.

Des exemples de textes de lecture partagée, des suggestions pédagogiques et des extraits de périodes de lecture partagée illustreront et expliqueront cette approche.

# Les fondements de la lecture partagée

## Une approche dynamique de l'apprentissage

> *Lorsqu'un enseignant lit et relit des textes avec des apprenants actifs
> pour analyser ces textes et en discuter, il y a enseignement et apprentissage.
> L'enseignant modélise de manière implicite et explicite les comportements, les
> habiletés et les stratégies de lecture et d'écriture tout en procédant à une
> évaluation continue et en poursuivant les objectifs du programme de littératie.*
>
> Adapté de Parkes, 2000, page 25.

La lecture partagée est une approche d'enseignement de la lecture dans laquelle les enseignants travaillent en collaboration avec un groupe d'élèves pour lire, discuter et acquérir des connaissances présentées dans un texte. Cette approche permet aux élèves de découvrir le plaisir de la lecture, d'apprécier la richesse et la variété de la langue, et d'être stimulés par les échanges d'idées avec leurs pairs. La lecture est un processus interactif dont l'objectif est de comprendre un texte. Pendant la lecture partagée, les enseignants modélisent ce qu'un lecteur utilisant une stratégie accomplit pour comprendre un texte. Les élèves ont besoin d'enseignement explicite et implicite, d'un soutien étayé et d'une rétroaction continue afin de mieux comprendre des textes plus complexes. Dans cette approche, les enseignants encouragent les élèves à utiliser leurs connaissances antérieures pour approfondir leurs réflexions, porter un jugement critique sur les textes et gérer leur lecture au plan de la métacognition.

Les composantes de la lecture partagée :

- Les élèves lisent le texte sur un exemplaire de grand format.
- L'enseignant (ou un autre lecteur habile) lit à voix haute pendant que les élèves suivent silencieusement le texte ou lisent à l'unisson.
- Les élèves reçoivent l'aide nécessaire pour défricher le texte et le comprendre.

- L'enseignant détermine la stratégie ou le concept à enseigner.
- L'enseignant planifie l'activité en fonction des compétences en lecture des élèves.
- L'enseignant choisit un texte qui convient à l'activité.
- Le texte doit contenir suffisamment de défis pour le lecteur et d'éléments susceptibles d'aider l'élève.
- L'enseignant travaille et discute avec les élèves pour comprendre le texte.

La lecture partagée favorise l'apprentissage des stratégies de compréhension et le développement des habiletés en utilisant de nombreux types de textes. Elle permet d'enseigner aux élèves des stratégies et des habiletés pour aller au-delà de la compréhension littérale du texte. La période de lecture devient alors une expérience agréable et commune à tous les participants.

La notion de lecture partagée résulte des recherches menées depuis plusieurs décennies sur la lecture des jeunes enfants à la maison (Holdaway, 1979 et Parkes, 2000). Les recherches de Holdaway l'ont amené à tenter des expériences d'enseignement de la lecture en milieu scolaire en s'inspirant de plusieurs aspects de la lecture pratiquée avec les jeunes enfants à la maison. Holdaway leur a d'abord donné le nom d'expérience du livre partagé. Comme d'autres enseignants l'ont fait par la suite, il utilisait des textes de grand format d'histoires populaires et de poèmes dans un contexte significatif permettant à l'enseignant et aux élèves de lire ensemble à voix haute et de participer à une expérience de lecture stimulante et agréable.

Brenda Parkes (2000) encourage les enseignants à utiliser la lecture partagée de manière à reproduire l'ambiance de la lecture d'un conte ou d'une histoire faite à un enfant avant qu'il s'endorme. Les enseignants créent ainsi un contexte favorable à l'enseignement implicite et explicite de la lecture à l'aide de nombreux types de textes et de la participation grandissante des élèves.

Les expériences en lecture réussies par le jeune enfant se caractérisent par l'aspect amusant et enrichissant de l'activité, sa participation grandissante, sa collaboration dans la recherche du sens, les liens qu'il fait avec ses connaissances antérieures et le besoin «d'intégrer le contenu et le processus» (adapté de Parkes, 2000, page 13).

Ces caractéristiques peuvent être reproduites à l'école alors que les élèves découvrent le processus de lecture et développent leurs compétences de lecteur. C'est ce qui fait de la lecture partagée une approche efficace d'enseignement de la lecture à tous les niveaux scolaires parce qu'elle reproduit un processus naturel d'apprentissage. Même si sa pratique présente quelques différences avec celle des élèves plus âgés, elle se fonde sur les mêmes principes sous-jacents et les mêmes principes théoriques.

Ce qui différencie la lecture partagée des autres approches pédagogiques est la nature et la qualité du soutien fourni par l'enseignant durant la période de lecture. Ce soutien varie selon la complexité du texte et la familiarité des élèves avec le type de texte. Sans cette aide, les élèves ne pourraient pas lire, comprendre et évaluer le texte de façon autonome. Le «partage» de la lecture, la modélisation faite par l'enseignant et les discussions axées sur le texte donnent lieu à des interactions constantes des enseignants, des élèves et du texte.

# La lecture partagée avec des élèves plus âgés

*Un des principaux objectifs de la lecture partagée est d'aider les enfants à développer une variété de stratégies efficaces pour la lecture et la compréhension d'un texte.*

Adapté de Parkes, 2000, page 25.

En littératie, on dit souvent que les élèves passent les premières années scolaires à apprendre à lire, et le reste à lire pour apprendre. C'est une dichotomie un peu simpliste et trompeuse. Aussitôt qu'un enfant remarque les caractères d'imprimerie et constate que l'imprimé a une signification, il apprend en lisant. Nous continuons tous «d'apprendre à lire» lorsque nous devons lire pour comprendre des textes plus complexes traitant de sujets moins connus. L'enseignement de la lecture doit commencer dès les premières années du cours primaire et se poursuivre tout au long de l'apprentissage.

La façon de lire des élèves évolue à mesure qu'ils lisent avec fluidité. La fluidité dépend de leur maîtrise du vocabulaire, de leur bagage de connaissances et des textes lus. Ils deviennent de plus en plus informés sur le monde directement par leurs expériences et indirectement par la lecture, la télévision, Internet et les contacts sociaux. Ils apprennent à envisager les choses dans différentes perspectives et comprennent qu'il peut exister divers points de vue.

Durant cette même période, les enseignants présentent aux élèves des tâches et des textes de plus en plus variés et d'une complexité croissante. Ils supposent souvent que les élèves n'ont pas besoin d'acquérir des habiletés en lecture, puisqu'ils savent lire. Pourtant, chez un enfant de sept ans, les exigences imposées par la lecture sont très différentes de celles rencontrées par un lecteur de 12, 15 ou 18 ans. Les problèmes surviennent quand les enseignants ne reconnaissent pas que les élèves plus âgés ont peut-être encore besoin d'enseignement explicite pour lire des textes plus complexes ou approfondir leur compréhension.

## La nécessité de se réunir dans un but précis

La lecture partagée se déroule avec une partie de la classe ou avec la classe entière. Les participants doivent être capables de lire le même texte, ce qui permet de mieux gérer l'interaction et de fournir le soutien nécessaire. On utilise habituellement des formats agrandis pour éviter d'avoir à distribuer des exemplaires individuels qui pourraient diminuer ou gêner la concentration sur l'activité.

De plus, les élèves collaborent aux discussions et aux recherches de sens. Un sentiment d'«apprentissage collectif dans une communauté d'apprenants» se développe à partir de cette collaboration. Se réunir autour d'un livre ou d'un texte implique – et requiert, en fait – une interaction. L'apprentissage de la littératie repose non seulement sur l'interaction de l'élève et du texte, mais aussi des élèves entre eux (adapté de Vygotsky, 1978; Dowhower, 1999).

Les élèves se prêtent plus facilement au dialogue quand ils sont assis en petit groupe. Ils peuvent davantage faire part de leurs idées et en apprendre plus sur les autres et sur le monde qui les entoure. Ils peuvent lire et comprendre des textes plus complexes. L'interaction des pairs leur permet d'exprimer leur accord ou leur désaccord, et de participer plus facilement à la conversation. Les élèves peuvent se consulter brièvement, avant de communiquer leurs idées et leurs hypothèses au groupe. Ces formes d'apprentissage en collaboration ou partagé favorisent le développement de l'expression orale et encourage l'entraide. Le chapitre 11 présente des conseils sur l'organisation d'une période de lecture partagée.

# Les fondements théoriques de la lecture partagée

La stratégie de lecture partagée tire peut-être son origine dans la façon de raconter des histoires aux enfants avant d'aller au lit, mais son utilisation comme approche pédagogique s'appuie sur des recherches concernant le processus d'apprentissage. Sa pratique repose en particulier sur les notions étroitement reliées à la zone proximale de développement, à l'étayage et au transfert graduel à l'élève de la responsabilité d'apprendre. L'interaction sociale et la métacognition s'ajoutent à ces notions et s'avèrent des composantes importantes qui assurent le succès du processus d'apprentissage de la lecture.

## La zone proximale de développement

Vygotsky (1978) a décrit le concept de *zone proximale de développement*. Selon lui, l'apprentissage se produit dans une zone située entre «le niveau de développement actuel, déterminé par la résolution de problèmes qui s'effectue de manière autonome, et le niveau de développement potentiel, déterminé par la résolution de problèmes qui s'effectue avec le soutien d'un adulte ou en collaboration avec des pairs plus avancés» (adapté de Vygotsky, 1978, page 86). La zone de développement *actuel* est ce qu'un individu connaît et peut faire de façon autonome. Dans un contexte scolaire, la zone *proximale* de développement est la zone où l'enseignant doit guider et encadrer l'élève afin qu'il assume progressivement la responsabilité de son apprentissage. Vygotsky souligne également le besoin de l'interaction sociale et son importance dans l'apprentissage.

## L'étayage

Le soutien qui amène l'élève à dépasser son niveau de compétence actuel pour développer ses connaissances et des compétences de façon optimale s'appelle *étayage* (Bruner, 1983). Le concept d'étayage suppose que l'élève reçoive au départ un soutien important et que ce soutien diminue au fur et à mesure que les connaissances et les habiletés de l'élève se développent. En situation d'étayage, l'enseignant cherche à fournir à l'élève l'appui nécessaire pour resserrer l'écart entre le connu et l'inconnu. On emploie souvent l'exemple du parent qui aide son enfant à apprendre à conduire une bicyclette.

**Figure 1.1  Moins de soutien, plus d'autonomie**

# Le transfert graduel de responsabilité

La notion de *transfert graduel de responsabilité* (Gallagher et Pearson, 1983) se réfère au retrait progressif du soutien fourni par l'enseignant à mesure qu'augmente la responsabilité de l'élève sur son apprentissage.

Le soutien est progressivement retiré à mesure que l'élève utilise les stratégies enseignées et montre plus d'autonomie. L'aide apportée aux élèves varie en fonction de leurs besoins et des modalités de chaque situation de lecture.

Durant la période de lecture partagée, l'enseignant fournit d'abord un soutien important en lisant le texte à voix haute. L'enseignant aide l'élève en modélisant *comment* un lecteur utilisant une stratégie décode et comprend un texte. La modélisation des stratégies et les réflexions à voix haute à propos du texte sont les deux principaux moyens utilisés par les enseignants pour guider et encadrer les élèves. Durant la période de lecture partagée, on encourage et aide les élèves à utiliser les stratégies de façon autonome. On ajuste son niveau de soutien aux besoins des élèves. On est en interaction continue avec les élèves, on discute de ce qu'on fait, on propose des suggestions, on réagit et on échange des idées et des opinions. Toutes ces interactions sociales facilitent l'apprentissage.

# L'apprentissage dans un contexte social

Dans la classe, il est important d'établir des relations sociales harmonieuses afin de créer un climat favorable à l'interaction et à l'apprentissage. L'interaction est essentielle à l'apprentissage. Le contexte social dans lequel la lecture partagée se déroule a une grande importance sur la réussite de l'activité. Le savoir se construit grâce aux rapports sociaux entre l'individu et son milieu. Dans son analyse des conversations entre élèves, Mercer (1994) démontre que les interactions se produisent de différentes façons. Lors d'une *conversation exploratoire*, on peut observer l'apprentissage. Ce type de conversation implique le partage de l'information, la justification d'hypothèses par le raisonnement et l'obtention d'un consensus ou d'un accord. Les élèves sont amenés à se respecter mutuellement et à prendre conscience qu'ils peuvent apprendre les uns des autres. Ils montrent une confiance mutuelle et mettent leurs connaissances en commun afin de résoudre des problèmes. Mercer suggère que ce mode est le plus susceptible de provoquer le type de réflexions qui font progresser les participants dans leur zone proximale de développement. Une période de lecture partagée peut favoriser ce type de conversation.

Selon Holdaway (1979, page 64), «les expériences sociales d'échanges culturels au moyen du langage ont *toujours* été un facteur important dans l'apprentissage». En s'engageant dans ce processus collectif et interactif, les élèves peuvent acquérir et partager les connaissances dont ils ont besoin pour devenir des lecteurs compétents et autonomes. Dans le contexte d'une période de lecture partagée, les interactions des enseignants et des élèves et celles des élèves sont centrées sur un texte et incluent à la fois le soutien et les modélisations facilitant l'apprentissage. Ces interactions incitent également les élèves à réfléchir sur *la façon* dont ils pensent, aussi bien que sur *ce à quoi* ils pensent (Braunger et Lewis, 1998).

L'enseignant agit à titre de facilitateur de ces interactions sociales en orientant et en encourageant les discussions qui approfondissent la réflexion et suscitent une nouvelle compréhension. Au chapitre 7, on décrit quelques façons de promouvoir ce type de discussions lors d'une période de lecture partagée.

## La métacognition

*La métacognition, nécessaire à la bonne utilisation des stratégies de compréhension, peut se produire durant l'enseignement explicite et la modélisation des stratégies, mais survient davantage au moment où l'élève utilise des stratégies de compréhension pendant sa lecture.*

Adapté de Pressley, 2002, page 292.

La métacognition est la connaissance que l'on a de ses processus cognitifs. Dans une approche de lecture partagée, les enseignants amènent les élèves à mieux se connaître en tant que lecteurs et apprenants, en réfléchissant à leurs processus cognitifs. Cette réflexion rejoint le concept de *métacognition*. Il s'agit d'un processus pour accéder aux habiletés supérieures de la pensée. Le processus métacognitif permet aux élèves de développer leur capacité à se questionner pour choisir les stratégies appropriées dans une situation donnée et, au besoin, d'évaluer et de modifier ce choix. La métacognition peut et doit être encouragée.

Keene et Zimmermann (1997) citent Cris Tovani qui explique la métacognition à ses élèves comme le fait de «savoir quand vous savez, savoir quand vous ne savez pas, et d'évaluer vos propres réflexions». Elle poursuit en expliquant : «Vous devez savoir ce qu'il vous faut comprendre quand vous lisez et comment résoudre les problèmes lorsque vous ne comprenez plus. Quand vous êtes confus, il y a plusieurs pistes qui s'offrent à vous pour dissiper la confusion.» (Adapté des pages 195-196.) La métacognition donne aux élèves le pouvoir d'agir sur leur propre apprentissage. Elle est une compétence transversale qui favorise le transfert des connaissances et gère tous les autres processus.

Les enseignants jouent un rôle important en modélisant le processus métacognitif. Ils modélisent comment «prendre conscience de sa propre façon d'apprendre» et comment dissiper la confusion. Les questions, les réflexions et les rétroactions visent à développer ce processus de réflexion et à améliorer le processus d'apprentissage des élèves.

La lecture partagée enseigne aux élèves comment se servir des stratégies de compréhension en lecture, et non seulement à comprendre le passage qui a été lu au cours d'une journée.

## L'intégration de la lecture partagée dans toutes les matières

Dans les écoles primaires, le personnel enseignant est responsable de la majeure partie du programme d'études. Il enseigne les mathématiques, les sciences, les sciences humaines, l'éducation physique aussi bien que le développement personnel et social. Dans certaines écoles primaires et la plupart des écoles secondaires, des enseignants spécialisés apprennent ce qu'on nomme les domaines de «contenu» du programme d'études. Ces enseignants pensent souvent que les élèves maîtrisent les habiletés nécessaires pour comprendre les textes et les tâches qu'ils leur donnent à faire. Ce n'est malheureusement pas le cas pour un grand nombre d'élèves. Qui a la responsabilité d'enseigner la lecture à ces élèves plus âgés? Comme on l'a noté précédemment, la progression des élèves aux différents niveaux scolaires et leurs études dans différents domaines du programme exigent d'eux qu'ils soient de bons lecteurs. Ils doivent même avoir acquis une bonne compétence en littératie s'ils veulent participer et s'instruire effectivement au niveau secondaire et collégial.

*La plupart des enseignants spécialisés croient que leur responsabilité première est de préparer les préadolescents et les adolescents au cours secondaire dans leurs domaines respectifs, et admettent difficilement qu'ils ont une certaine responsabilité dans le développement de la lecture chez les jeunes.*

Adapté de Vacca, 2002, page 186.

En réalité, tous les enseignants devraient être conscients des exigences de la lecture pour les élèves, et être prêts à les aider à y répondre. Allington (2002, page 143) exprime ce point de vue répandu, mais souvent impopulaire : « Dans un monde idéal, tout enseignant devrait enseigner la lecture. » Il explique comment tous les enseignants, particulièrement au niveau secondaire et collégial, peuvent aider leurs élèves en leur expliquant la structure des textes et en les familiarisant avec le vocabulaire spécifique de chaque domaine. Ils peuvent aussi les aider en sélectionnant des textes « écrits avec soin et offrant un degré de complexité approprié selon les connaissances antérieures des élèves et leur niveau de littératie » (adapté d'Allington, 2002, page 143).

De nombreux enseignants utilisent déjà certaines formes d'enseignement de la lecture dans le cadre de leur enseignement spécialisé. Ils peuvent, par exemple, parcourir une partie de manuel avec leurs élèves, résumer ou souligner les idées directrices ou leur enseigner le nouveau vocabulaire. Ainsi, ils donnent aux élèves les outils nécessaires pour lire et écrire une grande variété de textes, devenir compétents en réflexions stratégiques et en résolution de problèmes, et appliquer des compétences et des stratégies en littératie dans divers contextes.

Certains enseignants utilisent la lecture partagée pour dévoiler la signification d'un texte tout en montrant aux élèves comment intégrer et appliquer les stratégies de lecture dans l'apprentissage des autres matières.

Le modèle d'enseignement explicite décrit au chapitre 9 convient très bien à l'enseignement d'un domaine d'études spécifique. Les explications, les modélisations, la pratique guidée, les démonstrations par les élèves et le travail individuel peuvent s'intégrer dans cet enseignement afin d'étayer l'apprentissage des élèves et leur montrer comment lire des textes informatifs, aussi bien que les aider à comprendre, synthétiser et évaluer les renseignements de façon autonome. Vacca (2002) insiste sur l'importance de guider et d'encadrer les élèves avant, pendant et après la lecture dans un domaine d'études spécifique. Il explique de quelles façons ces aspects « invisibles » de l'enseignement peuvent être mis à profit pour améliorer les résultats des élèves en lecture.

La lecture partagée offre à tous les enseignants un contexte pour aider les élèves. Les exemples de ce livre illustrent de quelle façon les enseignants généralistes aussi bien que ceux qui enseignent une matière spécifique peuvent incorporer la lecture partagée dans leur enseignement.

*Le rôle de l'enseignant est d'offrir aux lecteurs un éventail de stratégies appropriées en modélisant, en discutant et en les enseignant de façon explicite.*

Adapté de Smith et Elley, 1997, page 53.

## La pédagogie : l'enseignement explicite dans la lecture partagée

Margaret Mooney (1988) a noté que le rôle de l'enseignant dans la lecture partagée est d'aider l'élève à acquérir des compétences et des habiletés visant à en faire un lecteur habile et autonome. L'enseignant doit encourager l'élève à participer à des lectures et lui donner une rétroaction continue. La lecture partagée permet de :

- développer un intérêt pour la lecture et la littérature ;
- faire écouter aux élèves une lecture fluide et expressive pouvant servir de modèle ;
- démontrer le « processus de pensée » qui intervient pendant la lecture ;
- modéliser de bonnes stratégies de lecture telles que la prédiction, le questionnement, les inférences et les techniques de décodage du vocabulaire ;
- comprendre des idées, des concepts, des sujets et des thèmes présentés dans une plus grande variété de textes que ce que l'élève pourrait comprendre de façon autonome.

Quand l'enseignant met en œuvre et encourage l'interaction à la suite de la lecture d'un texte, les élèves peuvent :

- faire part de leurs impressions et de leurs émotions à propos d'une variété de textes ;
- discuter de leurs idées, questions et interprétations ;
- faire des prédictions et vérifier leur justesse ;
- mettre en commun leurs expériences personnelles en relation avec un texte ;
- établir et exprimer des liens avec d'autres textes et avec leurs connaissances du monde extérieur ;
- pratiquer les stratégies démontrées ou modélisées par l'enseignant ;
- prendre des risques et accepter de se tromper dans un milieu d'apprentissage sécurisant ;
- participer à des débats d'opinions dans une atmosphère de tolérance et de respect ;
- comprendre un texte à partir de leurs discussions et de leurs réflexions avec l'enseignant et leurs pairs ;
- prendre conscience de leurs propres réflexions ;
- intégrer leurs processus de réflexion afin qu'ils deviennent spontanés.

Bien que ces activités d'enseignement et d'apprentissage puissent s'exercer de plusieurs façons, la lecture partagée offre aux enseignants un plus grand choix d'options dans leurs approches pédagogiques. Le soutien fourni tout au long de la lecture partagée aide les élèves à comprendre les moyens de traiter les textes, moyens qu'ils pourront par la suite utiliser avec moins d'aide lors de séances de lecture guidée ou lors des prochaines périodes de lecture partagée, par exemple. L'aide fournie par l'enseignant peut être ajustée selon les besoins changeants des élèves – même à l'intérieur d'une même période de lecture partagée.

Relire des textes familiers, discuter de ses lectures et réfléchir à la signification d'un texte sont des activités essentielles dans la compréhension du processus de lecture (Koskinen, Blum, Bisson, Phillips, Creamer et Baker, 1999 ; Oster, 2001 ; Pressley, 1998 ; Williams, 2001). La lecture partagée permet d'effectuer toutes ces activités.

# La lecture partagée et la diversité des apprenants

*Nous devons faire en sorte que les élèves de différents milieux aient l'occasion de participer activement à l'enseignement de la littératie et à des ateliers de lecture, en suivant un continuum de stratégies pédagogiques qui favorisent leur implication dans des expériences de lecture motivantes et significatives.*

Adapté de Au, 2002, page 409.

Les besoins des élèves sont généralement complexes et variés. Les enseignants doivent tenir compte de cette diversité culturelle, par exemple :

- les traditions ou les coutumes (langage oral, écrit, visuel) ;
- les types de savoirs valorisés (l'enseignant devrait se familiariser avec ces savoirs et tirer profit des acquis des élèves, spécialement lorsqu'ils sont très différents des siens) ;
- les comportements valorisés entre enfants et adultes (dans certaines cultures, il est par exemple inapproprié pour les enfants d'exprimer leurs opinions devant un adulte ou de formuler une critique à propos d'un texte) ;
- les attentes concernant les discussions ou les échanges de connaissances dans un groupe (pour certains élèves, il peut être difficile de concilier le fait qu'on encourage les tentatives avec la pression afin de performer ou de réussir) ;
- l'importance de choisir des textes qui offrent des situations d'apprentissage adaptées à la diversité culturelle des élèves et de la communauté en général (les textes doivent refléter le profil culturel des élèves).

Les enseignants doivent tenir compte du fait que chaque élève a une identité unique qui influe sur son apprentissage. L'enseignement doit répondre aux besoins de chaque élève. Il faut tenir compte de ce que les élèves connaissent déjà et de ce qu'ils sont capables de faire. En conséquence, les textes et les activités proposés en lecture partagée devraient refléter les besoins particuliers des élèves aussi bien que les exigences des programmes d'études.

## Les élèves découvrant la langue française

L'apprentissage d'une langue se développe grâce à l'interaction sociale. Ainsi, en lecture partagée, les élèves qui apprennent la langue française seront mis en présence d'un milieu et d'échanges linguistiques, dans un climat de classe stimulant et sécurisant.

Ces élèves ont besoin de soutien pour apprendre à lire. Étant donné qu'ils apprennent à lire dans une autre langue que la leur, il faudra faciliter le transfert de leurs acquis pour maximiser l'apprentissage de la lecture en français. La lecture partagée place les élèves dans des situations de communication signifiantes et authentiques.

Avec les élèves plus âgés, il faut privilégier le travail d'équipe afin de maximiser l'interaction sociale et les échanges. En fait, la lecture partagée peut s'avérer plus efficace que la lecture guidée pour répondre aux besoins des élèves qui étudient la langue française comme langue seconde.

La lecture partagée favorise l'acquisition du vocabulaire et des nouvelles stratégies en lecture. Elle permet aux élèves de participer aux relectures, d'entendre des lecteurs lire avec aisance et fluidité et de profiter de l'enseignement explicite de l'enseignant. Cette approche permet à ce dernier de poser des questions ou de faire des commentaires à certains élèves et de modifier ses exigences ou son soutien selon leurs besoins. Ainsi, l'enseignant peut augmenter le soutien en relisant des éléments ou des mots clés d'un texte. Les enseignants doivent modifier leur approche si les élèves éprouvent des difficultés à lire en français. S'ils demandent aux élèves de prédire la suite d'un texte, ils devront les aider à utiliser les caractéristiques et les éléments visuels de ce texte.

## Le support par le texte et l'image

# Le courriel

Internet utilise le réseau de téléphonie international pour relier des ordinateurs du monde entier. Pour te brancher sur Internet, tu dois avoir un «modem». Le modem convertit les données numériques d'un ordinateur en données analogiques qui sont ensuite transmises par ligne téléphonique. Pour recevoir le courriel, un autre modem fait l'inverse. Il convertit les données analogiques en données numériques pour l'ordinateur.

Envoyer un courriel, c'est un peu comme envoyer un colis dans un autre pays. Tu apportes le colis au bureau de poste. Le colis est transporté d'une ville à l'autre, jusqu'au bureau de poste de la ville de destination. Ce bureau de poste envoie une carte à l'adresse indiquée sur le colis pour que la personne vienne le chercher.

Dans le cas du courriel, le «colis» est un fichier informatique expédié de façon électronique. Ton courriel part de ton ordinateur, va jusqu'à celui de ton fournisseur de services Internet (FSI), puis est transmis d'un ordinateur à l'autre sur Internet.

**suzanne @ terrier . com**

le nom d'utilisateur    le domaine   l'extension

Les FSI balaient Internet et récupèrent les courriels qui portent leur nom de domaine (la partie de l'adresse après @).
Ainsi, quand tu envoies un courriel à quelqu'un, son FSI le récupère, puis l'expédie à la partie de l'adresse qui précède @, ou nom d'utilisateur. La personne peut alors ouvrir ton courriel et le lire.

Source : *Zénith lecture partagée*, P. Quinn, 2006.

Comme la lecture partagée est une approche convenant aussi aux élèves qui apprennent le français, l'enseignant doit choisir soigneusement des textes pertinents et appropriés pour leur groupe d'âge. Les livres utilisés pour la lecture partagée devraient être sélectionnés en fonction des stratégies de lecture à enseigner et inclure des textes variés. Il existe de nombreux livres qui comprennent des diagrammes et des photographies convenant à différents groupes d'âge, de même que des textes clairs et conçus pour faciliter l'apprentissage de la lecture.

Les textes qui relatent des expériences familières aux élèves leur donnent l'occasion de développer leur langage, de faire part de leurs expériences et d'enrichir leurs connaissances dans certains domaines. On peut utiliser des livres de recettes, des menus, des textes publicitaires, des cartes d'invitation ou d'autres écrits axés sur des questions familiales, les sports ou la mode, par exemple. Le matériel de lecture doit comporter de bons éléments visuels et des textes intéressants.

L'écriture partagée peut également venir en aide aux élèves qui apprennent la langue française tout en validant et en enrichissant leurs propres connaissances et expériences. Les liens entre la lecture et l'écriture partagées seront présentés au chapitre 10.

## Les lecteurs en difficulté

Il revient à l'enseignant de modifier et d'adapter le programme de lecture pour répondre aux besoins de tous les élèves, y compris ceux éprouvant des difficultés en lecture. Les recherches ont déjà démontré que la lecture partagée constituait un moyen efficace d'améliorer la compétence en lecture en deuxième année. «Après quatre mois, les élèves qui participaient aux groupes de lecture partagée réussissaient mieux à analyser les mots, comprenaient mieux les textes lus, et avaient amélioré leur fluidité en lecture.» (Adapté d'Allington, 2001, page 81.) Une telle démonstration de la valeur de la lecture partagée pour les lecteurs en difficulté serait une raison suffisante d'adopter cette approche à tous les niveaux scolaires. En plus d'améliorer leur compétence, la lecture partagée peut avoir pour effet d'augmenter la motivation et l'estime personnelle des élèves qui éprouvent de la difficulté à produire du sens ou à décoder des textes qu'ils devraient pouvoir lire à partir de la troisième année. Une sélection minutieuse des textes, des questions pertinentes (voir le chapitre 7) et le soutien de l'enseignant et des pairs aident les lecteurs en difficulté à mieux comprendre un texte et à utiliser efficacement des stratégies en lecture. Relire plusieurs fois un écrit permet de le lire avec fluidité. La modélisation d'une bonne lecture par un lecteur habile aide les élèves à lire avec fluidité et compréhension. Le manque de fluidité en lecture est un des facteurs qui peuvent transformer les lecteurs moyens en lecteurs en difficulté (adapté de Pressley, 2002 ; Allington, 2001).

La lecture partagée permet de rendre plus accessibles à tous les élèves les textes et les concepts difficiles. Ils acquièrent ainsi des habiletés de compréhension grâce à l'aide de l'enseignant et des autres lecteurs.

# Chapitre 2

# La lecture partagée dans un programme de littératie équilibré

## Les approches pédagogiques dans l'enseignement de la littératie

Dans un bon programme de littératie équilibré, les élèves ont chaque jour l'occasion de discuter, d'écouter, de lire et d'écrire. Les enseignants s'attendent également à ce que les élèves lisent une variété de textes et en discutent. L'enseignant adapte et choisit ses activités en fonction des besoins individuels des élèves afin d'atteindre les objectifs. L'enseignement efficace s'appuie sur les savoirs antérieurs des élèves.

Les approches et les pratiques de lecture d'un programme de littératie équilibré peuvent comprendre ces activités :

- la lecture aux élèves (Fountas et Pinnell, 2001) ;
- la lecture partagée (Holdaway, 1980 ; Parkes, 2000 ; Routman, 2000) ;
- la lecture guidée ou pratiquée en petits groupes (Learning Media Limited, 2000 ; Fountas et Pinnell, 2001 ; Nadon, 2002) ;
- l'enseignement réciproque (Palincsar et Brown, 1985) ;
- les cercles de lecture (Daniels, 1994 ; Hébert, 2003 ; Turgeon, 2005) ;
- l'apprentissage coopératif (Johnson, Johnson et Holubec, 1993 ; Giasson, 1995 ; Abrami et coll., 1996 ; Howden et Martin, 1997) ;
- l'enseignement transactionnel (Pressley, 2002 ; Hébert, 2003) ;
- la lecture à voix haute partagée (Routman, 2002) ;
- la lecture indépendante (Clay, 1991 ; Nadon, 2002) ;
- les ateliers de lecture (Calkins, 2001) ;
- les minileçons (Calkins, 2001).

## Un programme de littératie équilibré

Un programme de littératie équilibré permet à l'élève de développer ses compétences en lecture et en écriture, de communiquer oralement et d'apprendre dans différentes situations et divers contextes. L'enseignant différencie son enseignement selon le niveau de compétence et le mode d'apprentissage de chaque élève. Le soutien part de la modélisation, pendant laquelle l'enseignant fait une réflexion à haute voix sur les stratégies utilisées pour lire et écrire, et aboutit aux activités autonomes durant lesquelles l'élève assume la responsabilité de lire et d'écrire. Un programme de littératie équilibré, à tous les niveaux scolaires, offre de nombreuses occasions de lecture et d'écriture avec et par les élèves. La lecture partagée et la lecture guidée sont deux approches étroitement liées dans lesquelles l'enseignant intervient pour donner l'exemple et pour apprendre les stratégies de lecture nécessaire à l'élaboration du sens. La lecture partagée est un moyen de transition vers la lecture guidée. Un programme de littératie équilibré permettra à l'élève de profiter pleinement du soutien de l'enseignant et de mettre en pratique, de façon autonome, ses nouveaux savoirs. L'importance de mettre l'accent sur la lecture *avec* les élèves, au moyen de la lecture partagée, a inspiré ce livre.

L'écriture occupe aussi une place importante dans un programme de littératie équilibré et peut être enseignée à partir des approches de l'enseignement de la lecture. Au chapitre 10, on verra que les aspects complémentaires de la lecture et de l'écriture peuvent être mis en valeur grâce à la lecture partagée.

Dans un programme de littératie équilibré, les choix d'approches privilégiées par les enseignants reflètent souvent deux composantes dynamiques et complémentaires. D'une part, l'élève assume progressivement la responsabilité de son apprentissage, d'autre part, on augmente le degré de difficultés et de défis afin que l'élève progresse et poursuive son apprentissage. Ces deux composantes sont présentes tout au long des études : un apprenant n'arrive jamais à tout connaître, et il doit toujours relever de nouveaux défis.

La lecture partagée est une approche qui permet à l'enseignant d'apporter un soutien lorsque l'élève doit relever un défi nouveau ou intéressant au cours de son apprentissage. Par exemple, celui qui lit avec fluidité aura parfois besoin de soutien pour lire et comprendre un texte de manière autonome, surtout s'il s'agit d'un nouveau sujet. La lecture partagée permet à l'enseignant de modéliser la lecture. L'enseignant montre comment lire le texte en expliquant le vocabulaire spécialisé, en indiquant comment faire des liens avec ses connaissances antérieures et en utilisant d'autres stratégies de compréhension. L'élève peut assumer une plus grande part de responsabilités dans son apprentissage au fur et à mesure qu'il acquiert plus d'autonomie. Avec le temps, l'enseignant retire son soutien (il peut allouer plus de temps au travail individuel et en petits groupes, par exemple), car l'élève développe sa capacité à intégrer de nouvelles connaissances dans un domaine et à utiliser des stratégies de lecture efficaces.

Les enseignants devraient continuellement lancer de nouveaux défis aux élèves, en leur présentant des sujets inédits ainsi que des textes de qualité et de niveaux de difficulté graduels.

# La lecture partagée et les groupes d'âge

Le développement des habiletés de lecture varie grandement d'un individu à l'autre, aussi les renseignements du tableau suivant sont donnés à titre indicatif[1]. En tant que lecteurs adultes, les enseignants doivent se rappeler que la lecture fait appel à un ensemble d'habiletés qui peuvent être apprises et enseignées. L'enseignement de la lecture doit être soigneusement planifié et fondé sur les besoins particuliers des élèves.

| Tableau 2.1 Les comparaisons entre les groupes d'âge | | |
|---|---|---|
| **Entre cinq et sept ans** | **Entre huit et dix ans** | **Entre onze et treize ans** |
| *Les objectifs* | *Les objectifs* | *Les objectifs* |
| • développer le plaisir de lire des textes variés<br>• initier les élèves à la structure des livres et aux caractères d'imprimerie<br>• encourager l'élaboration du sens et l'interaction<br>• enseigner les sons, les lettres et les mots<br>• modéliser l'utilisation d'indices dans l'élaboration du sens<br>• aider les élèves dans l'élaboration du sens<br>• approfondir et élargir le répertoire de lecture<br>• développer le langage oral et enrichir le vocabulaire<br>• modéliser l'écriture<br>• renforcer le sentiment d'appartenance à une communauté d'apprenants | • augmenter le plaisir de lire à partir de différentes intentions<br>• approfondir la connaissance des différents types de livres et de textes<br>• assister les élèves dans l'élaboration du sens<br>• modéliser l'utilisation, l'intégration et l'application de stratégies de lecture<br>• modéliser des stratégies de compréhension<br>• enrichir le vocabulaire<br>• modéliser l'écriture<br>• étudier et comparer les styles d'écriture<br>• donner l'occasion de comprendre des textes traitant de sujets spécialisés | • motiver les élèves à apprécier et à aimer la lecture de textes variés<br>• approfondir la compréhension des textes et de leurs structures spécifiques<br>• aider les élèves dans l'élaboration du sens<br>• aider les élèves à découvrir des textes traitant de sujets spécialisés<br>• modéliser les stratégies de compréhension de textes complexes, denses ou ambigus<br>• permettre d'identifier et d'étudier différents genres d'écriture dans un même texte<br>• donner l'occasion d'évaluer des textes<br>• apprendre aux élèves à résumer<br>• développer les habiletés supérieures de pensée et le jugement critique<br>• encourager les élèves à remettre en question la validité de certains textes<br>• aider les élèves à distinguer et à comparer l'intention, les points de vue et les préjugés de l'auteur<br>• inciter les élèves à analyser les styles littéraires et les figures de style<br>• modéliser l'écriture<br>• développer une meilleure compréhension du pouvoir de l'écriture et de la littérature |

---

1. Ces renseignements sont basés sur le concept de continuum de développement, tel que défini dans *First Steps*, Education Department of Western Australia, 1997.

(suite)

| Entre cinq et sept ans | Entre huit et dix ans | Entre onze et treize ans |
|---|---|---|
| *Les types et les formats de textes suggérés* | *Les types et les formats de textes suggérés* | *Les types et les formats de textes suggérés* |
| • des livres de grand format, des pièces de théâtre, des poèmes, des textes documentaires<br>• des affiches, des tableaux<br>• des cartes de souhaits<br>• des livres de grand format, des affiches et des tableaux réalisés par la classe<br>• des textes rythmés et répétitifs, des rimes<br>• des textes électroniques et visuels | • des livres de grand format<br>• des affiches, des tableaux<br>• des poèmes, des chansons, des diagrammes<br>• de courts extraits de textes (romans, articles, nouvelles, manuels scolaires)<br>• des articles de journaux et de magazines<br>• des textes électroniques et visuels<br>• des productions écrites des élèves<br>• des textes agrandis | • de courts extraits de textes (romans, articles, nouvelles, manuels scolaires et autres)<br>• des articles de journaux et de magazines<br>• des nouvelles, des journaux personnels et de la correspondance<br>• des poèmes et des pièces de théâtre<br>• des documents publics ou historiques<br>• des cartes, des tableaux, des graphiques, des diagrammes<br>• des dépliants, des brochures publicitaires<br>• des affiches, des bandes dessinées<br>• des productions écrites des élèves<br>• des textes agrandis |
| **Entre cinq et sept ans** | **Entre huit et dix ans** | **Entre onze et treize ans** |
| *L'organisation* | *L'organisation* | *L'organisation* |
| • une aire de rassemblement et d'enseignement collectif pour permettre à chaque élève de bien voir le texte<br>• le livre placé sur un chevalet<br>• une baguette pour montrer le texte en lisant<br>• de petits tableaux ou de grandes feuilles de papier pour noter les points à enseigner<br>• des lettres magnétiques pour l'étude des mots et des lettres<br>• des « fenêtres » et du ruban adhésif pour couvrir ou cacher des mots ou des lettres pendant l'étude d'un texte | • une aire de rassemblement et d'enseignement collectif pour permettre à chaque élève de bien voir le texte<br>• le texte placé sur un chevalet, fixé ou projeté au mur<br>• de petits tableaux ou de grandes feuilles de papier pour noter des points à enseigner<br>• une baguette pour aider les élèves à suivre le texte ou indiquer certaines parties du texte<br>• des surligneurs ou du ruban adhésif pour concentrer l'attention sur des mots, des phrases ou des sections de texte | • une aire d'enseignement collectif pour permettre à chaque élève de bien voir le texte<br>• un rétroprojecteur, des tableaux et des affiches<br>• de petits tableaux ou de grandes feuilles de papier pour noter des points à enseigner<br>• des surligneurs ou du ruban adhésif pour concentrer l'attention sur des mots, des expressions, des concepts ou des caractéristiques du texte |

# La lecture partagée et la lecture à voix haute

La lecture à voix haute a fait ses preuves depuis longtemps, et elle est généralement appréciée par les élèves. Elle est importante à tout âge, car elle permet l'exploitation de textes variés, aux contenus et aux structures de phrases plus complexes élargissant ainsi le répertoire de lectures. Elle suscite également des interactions sociales qui contribuent à instaurer un sentiment de communauté d'apprentissage. Aussi, la lecture à voix haute de textes pertinents permet d'enrichir les connaissances des élèves dans de nombreux domaines.

L'objectif de l'enseignant qui lit à voix haute est de capter l'attention des élèves par une bonne lecture et de leur faire apprécier une variété de textes lus par un lecteur habile. Les enseignants présentent un modèle de lecture avec l'intonation et l'expression appropriées. La lecture à voix haute plonge les élèves dans l'univers d'un texte et leur montre différents modèles de langage employés dans les fables, les légendes, la littérature classique, la poésie, et de nombreux textes informatifs.

À l'évidence, la lecture à voix haute chevauche la lecture partagée, et certains enseignants passent habilement d'une approche à l'autre pour souligner une caractéristique ou concentrer l'attention sur un point spécifique à enseigner durant la lecture. Ces points spécifiques sont toujours reliés aux besoins particuliers des élèves. Dans l'exemple qui suit, l'enseignant a utilisé un court extrait d'un roman qu'il a lu à voix haute à la classe.

Il a transcrit cet extrait sur un transparent pour une lecture partagée. L'utilisation d'une partie de texte déjà lue aux élèves permet à l'enseignant de concentrer leur attention sur les techniques d'écriture de l'auteur, et aux élèves de replacer cet extrait dans un contexte déjà connu. L'enseignant pense tout haut et encourage les élèves à poser des questions et à discuter du texte afin d'approfondir leur réflexion et d'améliorer leur compétence en écriture.

## L'utilisation d'un extrait

*Maintenant que nous connaissons bien Stéphanie, revenons au début du livre et rappelons-nous comment Martine L. Jacquot a commencé son récit. Les auteurs nous donnent souvent des indices permettant de prévoir ce qui se produira au cours de l'histoire. Cette technique se nomme le dévoilement partiel. Lisez avec moi et voyons si nous pouvons trouver des indices donnés par l'auteur.*

Pourquoi l'auteure choisit-elle de nous présenter Stéphanie de cette façon?

Pourquoi cela a-t-il de l'importance?

Pourquoi l'auteure [Jacquot] nous dit-elle cela?

Je suis tellement énervée que je n'arrive pas à m'organiser. Tu vois, on va se retrouver chez notre oncle René pour passer la semaine ensemble.

- Stéphanie, dépêche-toi! On part!
- Oui, maman j'arrive... Je termine ma page.

Quand on est en visite chez René, on vit toujours des aventures extraordinaires! Tu ne me croiras jamais quand je vais te raconter ce qu'on fait...

Toutes nos aventures, je les écris dans mon journal, mais j'ai aussi envie de les partager.

Tu veux bien être mon ami imaginaire?

Est-ce que c'est vrai que Stéphanie a de la difficulté à s'organiser? Qu'est-ce que cet indice nous permet de prévoir?

Qu'est-ce que cet indice nous apprend de Stéphanie?

Source: *Le secret de l'île*, M.L. Jacquot, 2005.

Les textes choisis présentent de nouvelles difficultés qui seront discutées pendant la lecture à voix haute. On examinera l'intention et le style de l'auteur et on abordera les thèmes et les caractéristiques de différents textes en modélisant les stratégies de prédiction, de vérification du sens et de l'inférence. Ces exercices sont « penser tout haut » (Bauman, Jones et Seifert-Kessel, 1993), la « lecture partagée à voix haute » (Routman, 2002) ou la « lecture interactive à voix haute » (Fountas et Pinnell, 2001).

| **Tableau 2.2** **La lecture partagée et la lecture à voix haute** | |
|---|---|
| **La lecture partagée** | **La lecture à voix haute** |
| • Tous les élèves suivent le texte des yeux.<br>• L'enseignant est le lecteur stratégique. Les élèves suivent le texte des yeux ou lisent à l'unisson.<br>• Le niveau de difficulté des textes peut être plus élevé que celui des textes lus par les élèves de façon autonome.<br>• L'enseignant apporte un soutien important dans l'élaboration du sens.<br>• L'activité comprend des discussions en groupe, la résolution de problèmes, et implique l'interaction, la négociation et l'exploration de différents sens.<br>• L'activité comporte des objectifs pédagogiques spécifiques tels que la modélisation et l'intégration de stratégies de compréhension.<br>• Le texte est sélectionné en fonction des objectifs.<br>• L'approche comprend la présentation de différents types de textes informatifs et narratifs.<br>• L'activité permet de présenter aux élèves de nombreux concepts, des thèmes, des idées, des nouveaux mots et des structures de texte.<br>• Le soutien de l'enseignant varie selon les besoins des élèves. | • Les élèves écoutent l'enseignant en train de lire un texte.<br>• L'enseignant est le lecteur stratégique.<br>• Le niveau de difficulté des textes peut être plus élevé que celui des textes lus par les élèves de façon autonome.<br>• L'interaction dépendra des objectifs de l'enseignant et des besoins particuliers des élèves.<br>• Les textes présentés doivent procurer du plaisir aux élèves tout en leur donnant le goût de lire.<br>• L'approche permet de présenter une variété de concepts, de thèmes, d'idées, de nouveaux mots et de structures grammaticales.<br>• Les textes présentés peuvent être des textes narratifs (romans, nouvelles, récits, livres d'images) ou informatifs (biographies, mémoires, textes descriptifs ou scientifiques). |

# La lecture partagée et la lecture guidée

Ces deux approches ont beaucoup d'éléments en commun : dans les deux cas, on met l'accent sur l'élaboration du sens et le développement de la compréhension. Il y a toutefois une distinction à faire entre les deux : dans la lecture partagée, l'enseignant est responsable de la lecture initiale. Il lit le texte à voix haute. Tous les élèves peuvent voir le texte, qui est habituellement agrandi. L'enseignant réfléchit à voix haute et modélise les stratégies qui permettent de lire avec fluidité et de comprendre le texte.

Lors de la lecture guidée, l'enseignant exploite un texte avec un petit groupe d'élèves. Le rôle de l'enseignant est d'amener les élèves à parler, à lire et à réfléchir sur le contenu du texte et à consolider des stratégies efficaces de lecture. Pendant que les élèves lisent, l'enseignant observe leur comportement et relève leurs forces et leurs lacunes afin de planifier des interventions appropriées. La période de lecture comprend toujours des discussions sur le texte et des incitations à réagir à ce dernier.

L'enseignant choisit d'utiliser un écrit pour la lecture partagée ou la lecture guidée en examinant les défis lancés aux élèves. S'ils ont besoin de beaucoup d'aide pour lire le texte, la lecture partagée est plus appropriée que la lecture guidée. Parfois, les textes plus faciles peuvent aussi convenir à la lecture partagée.

La lecture partagée ne se pratique pas nécessairement avec toute la classe. Par exemple, dans une classe de langue seconde, la lecture partagée en petits groupes est peut-être plus efficace que la lecture guidée, car elle permet de modéliser et de développer la fluidité en lecture. Elle permet à l'enseignant de recourir à l'étayage pour apporter le soutien nécessaire aux élèves. De plus, l'enseignant peut communiquer les connaissances de base dont les élèves ont besoin pour comprendre les notions nouvelles. La lecture partagée permet aussi de présenter une plus grande variété de textes. Ainsi, elle permet d'enrichir et de développer le vocabulaire et les connaissances des élèves en langue seconde.

| Tableau 2.3 La lecture partagée et la lecture guidée | |
|---|---|
| **La lecture partagée** | **La lecture guidée** |
| • L'enseignant travaille avec un groupe d'élèves ou avec toute la classe.<br>• Les textes sont agrandis (tous suivent des yeux le même texte).<br>• Le degré de difficulté n'est pas très important – les textes peuvent être plus difficiles que ceux lus d'une façon autonome.<br>• Le texte choisi peut être un texte connu.<br>• L'enseignant lit le texte à voix haute. Les élèves suivent silencieusement ou lisent à l'unisson.<br>• Le texte choisi répond aux besoins d'apprentissage des élèves.<br>• L'enseignant établit un objectif pour la période de lecture.<br>• L'enseignant modélise l'apprentissage.<br>• L'enseignant aide les élèves dans l'élaboration du sens.<br>• L'enseignant modélise la fluidité en lecture et l'utilisation de stratégies.<br>• Le texte comporte des supports visuels et des difficultés selon les besoins d'apprentissage des élèves. | • L'enseignant travaille avec un petit groupe (4 à 6 élèves).<br>• L'enseignant établit un objectif pour la période de lecture.<br>• Chaque élève a son exemplaire du texte.<br>• Le texte est soigneusement choisi pour correspondre au niveau d'apprentissage du groupe.<br>• Les élèves n'ont habituellement pas vu le texte.<br>• L'enseignant présente le texte et aide les élèves dans leur lecture et leur réflexion.<br>• Les élèves lisent le texte individuellement, habituellement en silence.<br>• Le texte comporte des supports visuels et des difficultés selon les besoins d'apprentissage des élèves.<br>• Cette activité permet de mettre en pratique les habiletés et les stratégies précédemment démontrées.<br>• Le groupe prend la relève de l'enseignant dans l'élaboration du sens. |

# La lecture partagée et les minileçons

La minileçon a été développée par Donald Graves dans son approche de l'enseignement de l'écriture (Graves, 1983) et a été décrite par Giasson (1995) et Calkins (2001). Les minileçons ressemblent à la lecture partagée, mais présentent quelques différences importantes. Une lecture partagée amène les élèves à se concentrer sur la lecture d'un texte spécifique et dans un but particulier tandis qu'une minileçon sert à montrer de nouvelles stratégies ou à préparer les élèves à lire un texte. L'accent est habituellement mis sur une stratégie ou un point particulier à enseigner. Après une minileçon, on demande souvent aux élèves d'appliquer les nouvelles notions apprises. Calkins (2001) parle de «profiter de la phase d'implication active» (traduction libre, page 84). Ainsi, au début de l'année scolaire, plusieurs enseignants animent des minileçons sur des thèmes semblables :

• Comment choisit-on un livre qui nous convient très bien ?
• Comment réussit-on à lire plus longtemps ?
• De quelles façons nos camarades de lecture peuvent-ils nous aider ?

Les élèves appliquent ce qu'ils ont appris pendant la minileçon et poursuivent leur apprentissage en faisant part de leurs expériences.

Les ressemblances entre la lecture partagée et les minileçons comprennent les démonstrations et la modélisation par l'enseignant, de même que l'importance des interactions de l'enseignant et des élèves. Dans les deux approches, on veut préparer les élèves à assumer progressivement la responsabilité de leur lecture et de leur utilisation des textes.

| Tableau 2.4 La lecture partagée et les minileçons de lecture | |
|---|---|
| La lecture partagée | La minileçon de lecture |
| • L'enseignant lit le texte à voix haute. Les élèves suivent silencieusement ou lisent à l'unisson.<br>• Une séance peut durer entre 15 et 30 minutes.<br>• La leçon de lecture partagée peut être complète en soi.<br>• L'attention est surtout concentrée sur la lecture ou l'étude d'une partie du texte, dans un but spécifique. | • L'accent n'est pas nécessairement mis sur un écrit: l'enseignant peut lire à voix haute un court texte ou un extrait, utiliser un format agrandi ou ne pas utiliser de texte du tout.<br>• Elle peut durer entre 5 à 15 minutes.<br>• Elle est toujours reliée à une activité ou à une lecture faite avant ou après la lecture.<br>• Elle est basée sur la présentation d'une lecture, d'une tâche ou d'une stratégie de compréhension spécifique. |

## Les autres pratiques

### Pourquoi faut-il éviter la lecture à la ronde?

Dans la lecture à la ronde, tous les élèves ont accès au même texte et en lisent une partie, à voix haute, chacun leur tour. L'enseignant demande à un élève de lire un paragraphe, une page ou un chapitre, après quoi un autre élève continue la lecture. Habituellement, les élèves n'ont jamais vu le texte.

De nombreux enseignants pensent qu'il s'agit d'une forme de lecture partagée. Techniquement, la tâche de lire est partagée entre les lecteurs, mais il y a souvent perte de compréhension pour de nombreuses raisons. Cette pratique présente des lacunes qui la rendent inacceptable dans tout programme de lecture. Quand on demande aux élèves de lire un texte nouveau devant leurs pairs, leur attention se concentre presque toujours sur le bon décodage des mots, et non sur la compréhension du texte (Worthy et Broaddus, 2002). De plus, lire un texte nouveau devant un auditoire n'encourage pas à prendre des risques ou à s'autocorriger – deux habiletés essentielles que doivent apprendre tous les lecteurs (Opitz et Rasinski, 1998). Les élèves qui attendent leur tour sont souvent portés à chercher plus loin dans le texte leur passage à lire. Certains peuvent ainsi s'exercer à le lire en attendant leur tour, ou même trouver un moyen d'éviter la lecture en demandant, par exemple, de sortir de la classe. Les élèves qui ont lu leur partie ont fortement tendance à décrocher («Ouf, c'est fait!») ou, si le sujet les intéresse, de lire plus loin en précédant la lecture orale.

Cela dénote un autre problème posé par la lecture à la ronde – le rythme de lecture diffère chez les élèves. Suivre un texte lu par un lecteur lent ou hésitant ne gêne pas seulement la compréhension, mais peut aussi encourager de mauvaises habitudes de lecture chez ceux qui écoutent (Opitz et Rasinski, 1998).

Le message est clair: il ne s'agit pas de lecture partagée, ni de lecture guidée, et cette pratique est à déconseiller dans tout programme de lecture.

## La lecture en chœur

La lecture en chœur n'est pas non plus une forme de lecture partagée. La lecture en chœur donne aux élèves l'occasion de lire un texte à voix haute. Les poèmes courts et rythmés sont les meilleurs textes pour la lecture en chœur. Elle développe l'assurance pour faire face à un public et répond aux besoins des élèves qui manquent de confiance. Ce type de lecture sert surtout la performance. Habilement dirigée, elle peut améliorer la fluidité et l'expressivité dans la lecture des élèves. Pendant la lecture en chœur, les élèves peuvent lire une partie de texte ensemble et à voix haute, mais ce n'est habituellement pas l'objectif premier.

# Chapitre 3

# Les textes convenant à la lecture partagée

## L'apprentissage ne cesse jamais

Ce chapitre traite de la sélection et de l'utilisation des textes destinés à la lecture partagée. En fait, on parlera de publications multimédias, c'est-à-dire de représentations graphiques ou de textes produits et échangés de différentes manières : imprimés ou électroniques. Il s'agira de textes imprimés comme les romans, les livres d'images, les magazines, les journaux, les manuels scolaires et les annonces publicitaires. Aussi, on exploitera des textes électroniques comme les pages Web, les blogues, le courriel et Internet. Enfin, on parlera d'autres publications, comme les graphiques, les schémas, les tableaux, les diagrammes et les horaires.

Dans leur processus de production et d'élaboration de sens à partir d'un texte, les élèves doivent avoir souvent l'occasion de réfléchir et de modifier leur perception de la lecture et des textes écrits.

Les textes sélectionnés pour la lecture partagée doivent refléter ce processus continu. Ils doivent offrir la plus grande variété possible de genres, de sujets, de thèmes, d'intentions et d'objectifs correspondant au programme d'études et aux exigences auxquelles les élèves devront répondre, dans leurs lectures scolaires comme dans leurs lectures personnelles.

## Les défis et les supports inhérents aux textes

Dans leur préparation d'une leçon de lecture partagée, les enseignants prennent leurs décisions en considérant trois composantes :

- les élèves (leurs intérêts, leurs connaissances et leurs besoins) ;
- l'intention de la lecture ou l'objectif (pourquoi lire le texte et ce que l'enseignant veut apprendre aux élèves) ;
- le texte (sa pertinence au regard des élèves et de l'objectif).

Pour ce faire, les enseignants doivent évaluer le niveau de défi de ces textes du point de vue des élèves et les supports dont ils auront besoin.

**Figure 3.1** **Les composantes de la sélection d'un texte**

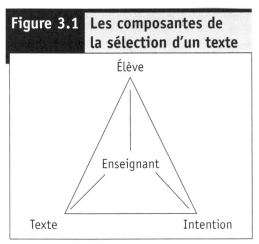

Les supports sont les caractéristiques du texte qui aident le lecteur dans l'élaboration du sens, et qui rendent le texte facile à lire. Les défis sont les caractéristiques qui rendent un texte difficile à lire pour certains lecteurs. Il est impossible de connaître le niveau de défi et de support de chaque texte, puisqu'il dépend des connaissances et des expériences du lecteur.

Les caractéristiques qui représentent un défi pour certains élèves peuvent constituer un support pour d'autres. Par exemple, un diagramme avec coupe transversale sera un support pour les élèves qui peuvent visualiser un objet entier à partir d'une de ses parties. Mais le même diagramme peut représenter un défi pour les élèves qui ont moins d'expérience avec ce type de représentation graphique, ou trouvent difficile de visualiser un objet entier à partir d'une de ses parties. Les enseignants qui connaissent bien les élèves peuvent ajuster leur aide en fonction des besoins de chacun. Cet ajustement peut se faire facilement lors d'une séance de lecture partagée, ce qui permet à tous les élèves de comprendre le texte.

*L'objectif de la leçon : la lecture de diagrammes avec coupe transversale*

*Le matériel : l'affiche* Notre planète en changement, *une orange ou une pomme, une poire et un couteau à fruits*

Coupez une orange ou une pomme de cette façon. Que voyons-nous à l'intérieur ? Imaginez que ce fruit représente la Terre. Comment le diagramme nous aide-t-il à comprendre ce qu'il y a à l'intérieur de la Terre ?

Prenez une poire et coupez-la en son centre, de haut en bas. Que voyons-nous à l'intérieur ? Comment cela nous aide-t-il à comprendre le diagramme ?

Source : *Zénith Lecture partagée*, A. Belcher, 2006.

Les défis à relever dans la lecture d'un texte ne se limitent pas aux caractéristiques superficielles comme les mots, les illustrations qui l'accompagnent ou la mise en page. En fait, au cours des dernières années du primaire, le défi qui attend les élèves consiste souvent à approfondir leur compréhension des textes. Renée, une enseignante de sixième année, a choisi le texte suivant pour sa classe. Elle l'a sélectionné, car même si ce texte est facile à comprendre et son sujet, familier, les élèves ont souvent de la difficulté à reconnaître l'émotion transmise par l'auteur.

Renée montre le poème aux élèves à l'aide du rétroprojecteur et en cache le texte de manière à ce que seul le titre soit visible.

*L'objectif de la séance d'aujourd'hui est d'examiner de quelle façon un auteur crée une ambiance pour le lecteur. Quand je lis un poème pour la première fois, j'observe le titre et je réfléchis à ce qu'il évoque pour moi. Je me suis souvent demandée comment un auteur pouvait décrire un geste simple et le rendre très puissant. Je crois avoir trouvé un bon exemple dans ce poème.*

- *Qu'est-ce que les mots « Ce que vaut un sourire » évoquent pour toi ?*

La discussion révèle que les élèves ont vécu des expériences différentes. Renée stimule ensuite leur réflexion en leur posant ces questions :

- *Pourquoi réagissons-nous différemment au titre ?*

- *Rappelez-vous une occasion où quelqu'un vous a fait un sourire. Quelles émotions un sourire suscite-t-il en vous ? Quelles sont les images qui vous viennent à l'esprit ?*

*Je vais maintenant lire le poème deux fois. Une première fois pour vous permettre de saisir l'ambiance générale du poème, et une deuxième fois pour vous montrer ce que l'auteur a fait pour créer cette ambiance. Suivez le texte des yeux pendant que je lis...*

Pendant la deuxième lecture, Renée fait une pause pour attirer l'attention des élèves sur le choix des mots qu'a fait l'auteur.

- *L'auteur a employé le mot « appauvrir ». Pourquoi ? Qu'est-ce que ce mot signifie ?*

- *À ton avis, pourquoi l'auteur a-t-il utilisé le mot « enrichit » et « appauvrir » dans la même phrase ?*

- *L'auteur utilise plusieurs mots et expressions qui s'opposent entre eux. D'après toi, pourquoi utilise-t-il cette technique ?*

Renée souligne d'autres mots tout en lisant et en indiquant les rapprochements qu'elle peut faire entre ces concepts et ses connaissances antérieures, et comment cela l'aide à créer des images dans sa tête. Les élèves examinent ensemble le poème, l'ambiance qu'il dégage, et le style et les formules utilisées par l'auteur, en discutant des points suivants :

- *Votre interprétation du titre a-t-elle changé, maintenant que vous avez lu tout le poème ?*

- *Comment votre interprétation du poème a-t-elle été influencée par vos expériences personnelles ?*

- *Quels sont les mots et les images qui réussissent le mieux à créer une ambiance ?*

- *Quels sont les mots qui réussissent à créer des images qui feront réfléchir le lecteur ?*

Renée souligne les mots clés sur le transparent et demande ensuite aux élèves de discuter de l'importance de choisir judicieusement ses mots pour créer des images qui feront réfléchir le lecteur.

## Ce que vaut un sourire

*Un sourire ne coûte rien et produit beaucoup.*

*Il enrichit ceux qui le reçoivent, sans appauvrir ceux qui le donnent.*

*Il ne dure qu'un instant, mais son souvenir est parfois éternel.*

*Personne n'est assez riche pour pouvoir s'en passer, et personne n'est trop pauvre pour ne pas le mériter.*

*Il crée le bonheur au foyer, est un soutien dans les affaires et le signe sensible de l'amitié.*

*Un sourire donne du repos à l'être fatigué, rend du courage au plus découragé, console dans la tristesse et est un antidote de la nature pour toutes les peines.*

*Cependant, il ne peut s'acheter, ni se prêter, ni se voler. Car c'est une chose qui n'a de valeur qu'à partir du moment où elle se donne.*

*Et si quelquefois vous rencontrez une personne qui ne vous donne pas le sourire que vous méritez, soyez généreux, donnez-lui le vôtre.*

*Car nul n'a autant besoin d'un sourire que celui qui ne peut pas en donner aux autres.*

Frères des écoles chrétiennes, 1958.

Les textes peuvent être utilisés en fonction de nombreuses intentions, dont certaines exigeront une compréhension plus approfondie du texte. Les défis viennent souvent non du texte lui-même, mais des différentes façons dont les élèves doivent l'utiliser. L'exemple qui suit est un récit historique relativement facile à lire en groupe. Toutefois, quand on a demandé aux élèves d'utiliser ce texte pour créer une ligne du temps, plusieurs ont éprouvé des difficultés à remarquer et à retenir les renseignements clés. Lors d'une séance de lecture partagée, les élèves ont appris à lire le texte de manière à distinguer les événements importants.

## Remarquer et retenir les renseignements importants

Après avoir lu le texte à voix haute, Simon a demandé aux élèves de citer les événements importants. Il leur a posé des questions directes, telles que : «Qu'est-il arrivé en premier lieu ?» et «Qu'est-il arrivé par la suite ?» Il a ensuite donné les directives suivantes pour aider les élèves à créer une ligne du temps :

- *Parcourez le texte pour savoir quel est le nombre approximatif d'événements qu'il faut inclure dans notre ligne du temps. Quelle est votre estimation ?*

- *Au premier paragraphe, un indice nous permet de savoir à quelle époque nous devons faire débuter notre ligne du temps. Quels mots nous donnent cet indice ?*

Source : *L'histoire des transports*, H. Hammonds, 2005, pages 12 et 13.

- *Comment devrait-on concevoir notre ligne du temps de manière à y inclure toutes les dates et tous les événements importants ?*
- *Quelle distance devrait-on laisser entre les dates ?*
- *Par quelle année débutons-nous ?*
- *Comment allons-nous terminer notre ligne du temps ?*

Pour aider les élèves à généraliser l'application de ces habiletés, Simon a terminé la séance de lecture partagée en demandant aux élèves de réfléchir à ces questions :

- *Qu'avons-nous appris sur la manière de reconnaître une séquence d'événements dans un récit historique ?*
- *Quels indices l'auteur nous donne-t-il sur la séquence des événements ?*
- *Avez-vous pensé à autre chose en créant votre ligne du temps ?*
- *Comment ces habiletés pourront-elles vous aider en tant que lecteur [dans vos prochaines lectures] ?*

Si, dans un groupe particulier d'élèves, les défis posés par un texte sont plus importants que les supports qu'on y trouve (même avec l'aide de l'enseignant), c'est que le texte est trop difficile. Cela devient évident lorsque la séance de lecture partagée prend trop de temps et que l'enseignant essaie courageusement d'expliquer chaque mot et chaque concept. De même, si les supports sont beaucoup plus importants que les défis, le texte est trop facile, et l'apprentissage des élèves n'est pas stimulé.

Les facteurs pouvant déterminer les supports ou les défis dans un texte comprennent :
- le langage employé dans le texte ;
- les expériences et les connaissances des élèves ;
- la culture des élèves ;
- les concepts présentés ;

- le degré d'abstraction et de complexité des idées présentées;
- la mise en pages et les éléments visuels;
- les stratégies requises pour lire le texte;
- l'aspect familier d'un genre ou d'un type de texte pour les élèves;
- les objectifs de la lecture et l'utilisation qui est faite du texte.

## Le défi des textes complexes

Quand ils ont affaire à un texte long et complexe (un manuel scientifique, par exemple), plusieurs enseignants font des photocopies d'une section et les distribuent aux élèves afin que tous puissent travailler ensemble sur le même texte. Cette méthode peut s'avérer inefficace et représenter une perte de temps. De plus, de nombreux élèves perdent toute leur concentration avant la fin de la leçon. Il ne s'agit pas là de lecture partagée. Il est préférable d'utiliser un court extrait de texte qui comporte plusieurs caractéristiques avec lesquelles les élèves doivent se familiariser. Ensuite, dans une séance de lecture partagée avec toute la classe, chacun peut apprendre quelques stratégies applicables à la lecture d'un manuel. Une série de séances de lecture partagée peut être planifiée spécifiquement pour enseigner les techniques à utiliser avec les textes longs et complexes.

Voici quelques-unes de ces stratégies:

- Déterminer les idées principales d'un court texte à l'aide des titres, des sous-titres et des mots clés.
- Noter de façon structurée les éléments importants, un chapitre à la fois.
- Faire des associations image-texte qui donnent plus de renseignements qu'une image seule ou qu'un texte sans image (voir l'exemple, à la page 49).
- Apprendre à lire des phrases complexes. L'enseignant peut modéliser l'écriture et le découpage de longues phrases en recourant à la ponctuation et aux mots formant les différentes propositions de la phrase.
- Poser des questions afin d'éclaircir ce que les élèves ont appris après avoir lu un extrait. (Exemple: «Le sous-titre indique *Chasseurs et rassembleurs*. Qui chassait et rassemblait? Que chassaient-ils et que rassemblaient-ils?»)
- Utiliser la technique du casse-tête, par laquelle les élèves réunis en petits groupes travaillent sur un court extrait de texte en utilisant les stratégies décrites plus haut. Le résumé de chaque groupe est ensuite reporté dans un grand tableau, et le chapitre entier prend la forme d'une suite de brefs résumés écrits par les élèves. Lors d'une séance de lecture partagée, les productions de chaque groupe sont ensuite expliquées à toute la classe.

# La lecture de textes informatifs

*Les recherches indiquent que jusqu'à très récemment, les textes informatifs ont joué un rôle très mineur dans les premières années d'apprentissage de la littératie. Il n'est donc pas surprenant que les élèves éprouvent souvent des difficultés à lire et comprendre ce type de texte, quand ils apparaissent pour la première fois dans des manuels de sciences ou d'études sociales.*

Hoyt, Mooney et Parkes, 2003, page 19.

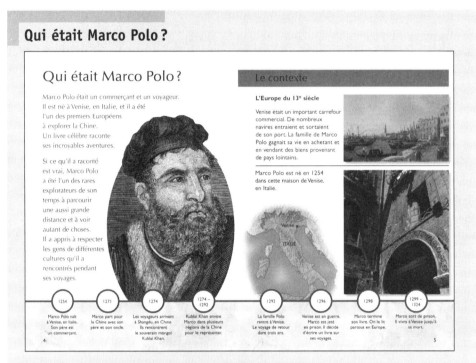

Source : *Le voyage de Marco Polo*, F. Bacon, 2006, pages 4 et 5.

Chez de nombreux lecteurs, les textes informatifs suscitent un intérêt pour la découverte qui les motive à poursuivre leur lecture. Pour d'autres, toutefois, la structure ou les formats de texte inhabituels et les nouveaux sujets peuvent constituer des entraves à la lecture.

Les textes informatifs et les textes narratifs doivent souvent être lus de façon différente, même si les lecteurs emploient les mêmes stratégies de lecture. Une série de séances de lecture partagée peut mettre l'accent sur les traits comparatifs de ces deux types de texte. Les enseignants peuvent amener les élèves à utiliser leur expérience des textes narratifs pour explorer un texte informatif. Par exemple, si l'enseignant indique qu'une biographie peut se lire comme un texte narratif, les élèves utiliseront leur compréhension des séquences d'événements afin de prédire le déroulement chronologique du texte.

De la même façon, les élèves apprennent à utiliser les éléments textuels familiers (tables des matières, titres, illustrations) pour aborder le contenu plus dense d'un texte informatif. Comme le vocabulaire spécialisé et la structure des textes informatifs peuvent en rendre l'écriture moins accessible que celle des textes narratifs, les élèves qui éprouvent des difficultés devront se faire expliquer comment employer ce qu'ils connaissent déjà pour mieux relever les défis posés par ces textes informatifs.

## L'analyse d'un texte informatif

Des caractéristiques familières, comme le tableau dans cet exemple, aident les élèves alors qu'ils abordent des textes informatifs de plus en plus complexes.

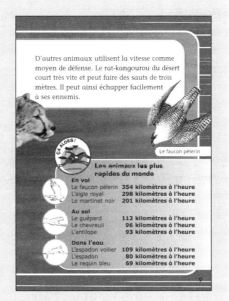

Source : *À toute vitesse,* I. Morrison, 2003, page 9.

De plus, la technologie permet maintenant à de nombreux enseignants de présenter l'information sous de nouvelles formes visuelles. L'explosion de l'information désormais disponible sur Internet, sans qu'il y ait contrôle ou vérification de sa validité et de sa fiabilité, lance encore plus de défis aux élèves et aux enseignants. La tâche de l'enseignant est devenue plus complexe à deux niveaux : il doit non seulement aider ses élèves à analyser des textes complexes, mais également les aider à développer leur sens critique afin d'évaluer ces renseignements provenant de sources très variées.

La tâche du lecteur consiste à comprendre ce qui est écrit ou représenté graphiquement dans un texte informatif, à passer au crible et à trier les renseignements valables, puis à les utiliser à différentes fins.

## L'enseignement des éléments textuels

Avant d'entrer en troisième année, la plupart des élèves sont déjà familiarisés avec certains éléments textuels tels qu'une table des matières, un index ou un glossaire. Les éléments moins familiers des textes informatifs comprennent les encadrés, les textes en retrait, les légendes, l'utilisation de plusieurs styles, les bulles de pensées ou de paroles, les notes de bas de page et les références. La lecture partagée peut être utilisée pour montrer aux élèves les façons de plus en plus sophistiquées d'utiliser les éléments textuels des textes complexes. La structure des textes peut être expliquée pour aider les élèves à comprendre les textes informatifs et leur donner des outils nécessaires pour chercher des renseignements spécifiques. Les enseignants qui utilisent l'agrandissement d'une page de texte peuvent profiter de la lecture partagée pour modéliser la lecture d'un texte et l'emploi de ses éléments textuels à des fins ou à des objectifs spécifiques (selon les besoins des élèves). Ces objectifs incluent :

- faire des prédictions ;
- rechercher des textes sur un sujet donné ;
- rechercher des renseignements ou des détails spécifiques ;
- découvrir quels types de renseignements peuvent être trouvés dans un livre ou un article en particulier, et quels types de renseignements peuvent ne pas s'y trouver ;

- enrichir son vocabulaire et ses connaissances sur un sujet ;
- découvrir de quelle façon les éléments textuels peuvent préciser l'objectif du texte ;
- comparer différents textes ;
- déterminer une séquence d'événements ;
- établir des relations de cause à effet ;
- localiser des sources de renseignements ;
- comprendre à quel moment on doit lire et utiliser les différents éléments textuels ;
- explorer un texte ;
- éclaircir le sens d'un texte.

## L'utilisation d'organisateurs graphiques pour analyser les textes

En faisant leur sélection de textes informatifs ou narratifs convenant à la lecture partagée, les enseignants peuvent trouver, et faire part aux élèves d'exemples d'outils qui aident à comprendre les textes. Les organisateurs graphiques sont un excellent moyen pour aider les élèves à analyser un texte pendant une séance de lecture partagée. Il en existe plusieurs types, et les enseignants créent souvent leur propre version pour répondre aux objectifs de la leçon. Les organisateurs graphiques peuvent viser plusieurs objectifs :

- regrouper les idées exprimées lors d'une discussion de lecture partagée ;
- clarifier et expliciter les réflexions de l'enseignant ;
- suivre l'évolution des idées au cours d'une discussion ;
- analyser le texte lu ;
- énumérer les traits spécifiques d'un texte ;
- regrouper les idées en catégories ;
- fournir un modèle stimulant les réflexions des élèves dans leur pratique individuelle ;
- préparer une production écrite.

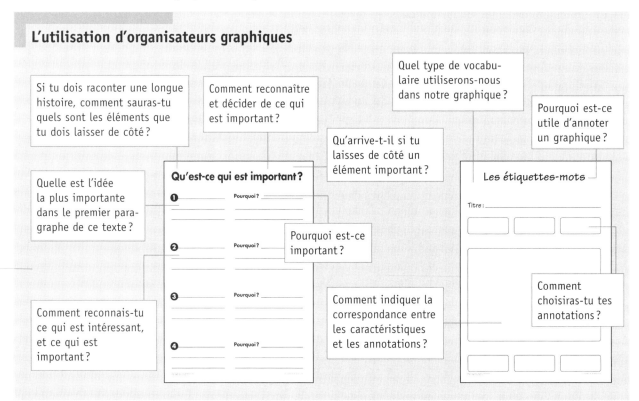

L'utilisation d'organisateurs graphiques

Si tu dois raconter une longue histoire, comment sauras-tu quels sont les éléments que tu dois laisser de côté ?

Comment reconnaître et décider de ce qui est important ?

Quel type de vocabulaire utiliserons-nous dans notre graphique ?

Pourquoi est-ce utile d'annoter un graphique ?

Qu'arrive-t-il si tu laisses de côté un élément important ?

Quelle est l'idée la plus importante dans le premier paragraphe de ce texte ?

Qu'est-ce qui est important ?

Pourquoi est-ce important ?

Les étiquettes-mots

Comment reconnais-tu ce qui est intéressant, et ce qui est important ?

Comment indiquer la correspondance entre les caractéristiques et les annotations ?

Comment choisiras-tu tes annotations ?

# Enseigner pour développer la littératie visuelle

La littératie visuelle désigne l'habileté à élaborer du sens à partir de textes accompagnés d'illustrations. Certaines publications peuvent présenter seulement des images ou combiner les images et les mots. Ces textes illustrés peuvent présenter des images ou des messages dont l'objet est de susciter des émotions, des pensées ou des désirs. Les combinaisons de mots et d'images sont des outils puissants utilisés dans la publicité, les bandes dessinées, les dépliants et brochures, les sites Web, les tableaux et les affiches.

On peut voir des textes illustrés partout autour de nous. En mettant l'accent sur leur capacité d'interprétation visuelle, nous encourageons les élèves à devenir des observateurs critiques des textes illustrés que l'on trouve dans des supports aussi variés que les films, les magazines, la publicité, les journaux et les manuels scolaires.

## L'interprétation des éléments visuels

Lors d'une séance de lecture partagée portant sur les éléments visuels, une enseignante a procédé ainsi pour aider les élèves à interpréter cette illustration :

Source : *Sur la liste,* J. Windsor, 2003, page 15.

« Aujourd'hui, nous allons examiner de quelle façon les illustrateurs utilisent des images pour susciter des émotions, des pensées, des sentiments ou des questions chez le lecteur. Regardez attentivement cette illustration. La première chose que je remarque, c'est le nombre d'objets que doit porter le campeur. Il semble avoir été abandonné par la troupe. Il semble inquiet de ne pas pouvoir réussir à garder les colis en équilibre. En me basant sur mes connaissances et mes expériences antérieures et sur les liens que je peux faire entre les différentes parties de cette illustration, je comprends maintenant que l'artiste a voulu transmettre un message humoristique. La troupe se dirige vers la plage sans penser au campeur laissé à lui seul à transporter une pile d'objets de camping.

Les artistes font souvent appel à des rapprochements inattendus entre les images, et au double sens qu'elles peuvent avoir, pour faire de l'humour ou illustrer subtilement un concept ironique. L'observateur doit faire un certain travail d'interprétation pour comprendre l'humour. Maintenant que je vous ai communiqué mon interprétation et les rapprochements que j'ai établis, pouvez-vous comprendre l'humour de l'artiste ?

- Pouvez-vous me donner des exemples de bandes dessinées, d'illustrations ou d'annonces publicitaires qui font appel à des images contrastées ou à des plaisanteries dans leurs traits d'humour ?
- Comment utilisez-vous vos connaissances et vos expériences antérieures des bandes dessinées ou des livres d'images, pour lire et interpréter un nouveau titre d'une collection ?
- Pouvez-vous me donner un exemple de publicité qui fait référence à la culture populaire pour viser une clientèle cible ?
- Pourquoi vos grands-parents pourraient avoir de la difficulté à comprendre le message d'une annonce de planche à roulettes ? »

### L'interprétation critique des éléments visuels

Dans une annonce publicitaire d'un grand magasin de New York, parue dans un journal au mois de septembre, on voit l'image d'une corne de bélier. Le texte accompagnant l'illustration se lit ainsi : « Nous vous souhaitons de même qu'à votre famille une nouvelle année remplie de paix, de joie et de prospérité. » Cette annonce fait référence à la nouvelle année juive, nommée *Rosh Hashana*. En langue juive, la corne se nomme un *shofar* et est un symbole couramment utilisé durant cette période de célébrations.

#### *Des exemples de questions à poser*

Montrez l'annonce aux élèves. Demandez-leur de prêter attention autant aux éléments visuels qu'au texte, pour essayer de comprendre le message qui est transmis. Expliquez-leur que même s'ils ne savent pas de quoi parle cette annonce, ils peuvent essayer de l'interpréter et d'y découvrir des sens possibles en utilisant leurs connaissances antérieures. Posez-leur des questions semblables :

- *Pourquoi ce magasin voudrait-il souhaiter la bonne année à ses clients au mois de septembre ?*
- *Que peut représenter ou symboliser la corne ?*
- *Cette annonce a-t-elle été conçue à l'intention du grand public ou d'un groupe spécifique ? Pourquoi ?*
- *Chacun de nous connaît-il les cultures étrangères, leurs fêtes et leurs calendriers spécifiques ? Comment cette connaissance nous aide-t-elle à mieux comprendre cette annonce ?*
- *Comment vos connaissances antérieures vous aident-elles à interpréter les éléments visuels ?*
- *Comment cet exercice vous aidera-t-il à mieux comprendre d'autres annonces ?*

- *Qui voudrait porter ce genre de montre ?*
- *Quels mots l'auteur utilise-t-il pour convaincre le consommateur ?*
- *Comment a-t-on utilisé les illustrations et les graphismes pour attirer l'attention du lecteur ?*
- *D'après toi, quelle est la clientèle visée ?*

Source : *La publicité*, J. Eggleton, 2006, page 24.

## L'analyse et l'interprétation des éléments visuels

Comme pour les autres éléments textuels, l'abondance et la variété des éléments visuels que les élèves rencontrent dans les textes (imprimés autant qu'électroniques) peuvent être simplifiées et analysées durant une séance de lecture partagée suivie d'activités en groupe et de travail individuel. Voici quelques types d'éléments visuels :

- illustrations ;
- tableaux, listes et graphiques ;
- cartes avec légendes ;
- schémas (incluant dessins éclatés, agrandissements et coupes transversales) ;
- photographies ;
- organigrammes ;
- lignes du temps.

## Les renseignements tirés des éléments visuels

Bill voulait montrer aux élèves qu'ils pouvaient faire des prédictions et des inférences, ou percevoir davantage de sens, à partir des éléments visuels autant qu'avec les textes écrits. Il a d'abord utilisé une photo en noir et blanc pendant une séance de lecture partagée. La photo montrait un petit garçon vêtu de culottes courtes retenues par des bretelles, et qui courait dans la rue avec une miche de pain sous le bras. Bill a modélisé les inférences qu'il pouvait faire (la photo avait été prise en France, et à une autre époque). Il a ensuite demandé aux élèves de replacer cette photo dans le contexte d'une histoire.

- *Pourquoi le garçon court-il?*
- *Qu'a-t-il pu se produire avant de prendre cette photo? Qu'a-t-il pu se produire ensuite?*
- *Qui est ce garçon? Que peut-on conclure à propos de ce garçon?*
- *À quoi pense-t-il en courant?*

Certains élèves ont répondu par écrit, même si ce n'était pas l'objectif.

> – Aidez-moi! Je viens de voler un pain chez le boulanger. Mon nom est Jacques.
>
> – Je vais t'attraper, Jacques.
>
> Je dois m'enfuir au plus vite. Je ferais mieux de manger tout ce pain avant que maman apprenne ce qui s'est passé. Je vais manger mon pain. Je peux en apporter un peu à la maison pour mon chien. Je vais lui en garder un peu. Que vais-je faire quand je verrai maman? Je vais courir jusqu'à la maison.
>
> Alex

Lors d'une autre leçon de lecture partagée, Bill a montré plusieurs photos aux élèves afin de leur expliquer les différents renseignements qu'on peut y trouver et leur donner l'occasion de pratiquer cette recherche de renseignements.

- *Que peut t'indiquer la mise en scène de cette photo?*
- *Selon toi, les gens photographiées vivent-ils à cet endroit? Pourquoi, ou pourquoi pas?*
- *Quelles autres inférences peux-tu faire en observant la mise en scène – la température, l'heure de la journée, l'endroit où les gens se trouvent? De quoi peut-il être question dans cette histoire?*
- *Pour qui, selon toi, ce texte a-t-il été écrit?*

- *Qui peuvent être ces gens?*
- *Où sont-ils? (à la campagne? Dans quel genre de région? Quel semble être le climat? Quelle heure peut-il être sur la photo?)*
- *Quelle inférence peux-tu faire à partir de ce qu'ils portent et de ce qu'ils font?*
- *Selon toi, de quoi sera-t-il question dans cette histoire?*

# Enseigner les habiletés de recherche

Quand ils lisent afin de trouver des renseignements, les élèves doivent développer des habiletés de recherche. Ces habiletés s'acquièrent plus facilement dans le contexte d'un vrai projet de recherche ou d'enquête – répondant de préférence à leurs propres intérêts. La lecture partagée peut servir à présenter ou à modéliser ces habiletés. Dans l'exemple suivant, l'enseignant montre aux élèves un organisateur graphique utilisé pour faciliter davantage la recherche.

## L'utilisation d'organisateurs graphiques dans la recherche

*Quand vous faites des recherches sur un sujet, vous avez souvent besoin de prendre des notes. L'utilisation d'un modèle comme celui-ci permet de noter et d'organiser les faits importants. Le texte nous dit que la puce se trouve sur les chats et les chiens. Lisons le texte ensemble et voyons si nous pouvons reconnaître leurs caractéristiques particulières. Pourquoi ces caractéristiques sont-elles importantes ?*

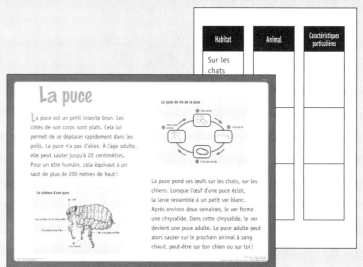

Source : *Zénith Lecture partagée*, B. Chapman, 2006.

La lecture partagée permet à l'enseignant de modéliser les habiletés requises dans la recherche et d'encourager les élèves à faire montre de ces habiletés.

Les autres habiletés utiles dans la recherche et pouvant être modélisées dans la lecture partagée comprennent :

- survoler et examiner un texte ;
- distinguer les détails pertinents des superflus ;
- connaître le fonctionnement d'une bibliothèque (savoir consulter le catalogue ou le fichier informatique, par exemple) ;
- se servir des phrases ou des mots clés ;
- résumer les renseignements ;
- regrouper en catégories les renseignements ;
- prendre des notes ;
- distinguer les faits des opinions ;
- synthétiser des renseignements provenant de plusieurs sources ;
- reconnaître les préjugés personnels ou culturels ;
- comparer différents renseignements.

# Apprendre à naviguer sur Internet

Avec l'avènement d'Internet, une immense quantité de renseignements est maintenant disponible à tous et en permanence. Internet lance de véritables défis, mais offre des possibilités et des perspectives passionnantes. Les enseignants qui ont accès à cette technologie peuvent afficher des pages Web directement d'Internet à l'aide d'un projecteur. Ils peuvent aussi imprimer et agrandir des pages Web pour s'en servir durant une séance de lecture partagée. Les objectifs pédagogiques peuvent comprendre :

- lire des pages Web ;
- utiliser des moteurs de recherche (recherche intelligente, utilisation de mots clés, exercice d'un choix dans les résultats de recherche) ;
- utiliser des bases de données ;
- naviguer ;
- analyser d'un point de vue critique et évaluer des renseignements ;
- reconnaître les préjugés ;
- vérifier ou authentifier des renseignements : *Ces renseignements sont-ils véridiques ? Comment pouvons-nous le vérifier ?* ;
- interpréter, résumer et présenter des renseignements.

## La navigation sur le Web

- *Comment puis-je revenir à la page d'accueil ?*
- *Que dois-je faire pour en apprendre davantage sur le sujet ?*
- *Où dois-je cliquer pour en savoir plus sur… ?*

Source : <http://debrouillonet.dyndns.org>, consulté le 8 juin 2006.

## L'utilisation d'un moteur de recherche

### La lecture de la page d'accueil :

- *Supposons que tu veuilles connaître le nombre de volcans entrés en éruption au cours des cent dernières années. Où chercherais-tu pour trouver cette information ? Quels mots clés utiliserais-tu ?*
- *Ton équipe de basket préférée vient de remporter une victoire importante. Où chercherais-tu pour savoir qui a réussi le panier gagnant ?*
- *Tu veux relater certains événements actuels dans ton journal. Quelle image de cette page t'indique où trouver le plus d'information ?*
- *Pourquoi le moteur de recherche utilise-t-il des éléments visuels et des photos ? Ces éléments représentent-ils différents types d'information ? Comment ?*
- *En quoi les icônes facilitent-elles la navigation sur cette page ?*
- *Que fais-tu si tu ne parviens pas à trouver ce que tu recherches ?*

### Distinguer les différents éléments d'une page Web :

- *Il est indiqué que certaines icônes sont des publicités. Pourquoi ? Selon toi, qu'arrivera-t-il si tu cliques sur une de ces icônes ?*
- *Que sont les objets disposés tout autour de la page ? Pourquoi sont-ils là ?*
- *Quelle image attire d'abord ton attention ? Pourquoi ?*
- *Quels éléments de cette page sont conçus pour te permettre de revenir régulièrement naviguer sur cette page ? Pourquoi ?*
- *À qui s'adresse cette page ? Quels sont les groupes qu'elle tente de cibler ? (Pense à l'âge, aux conditions économiques, aux intérêts, aux groupes ethniques.) Qu'est-ce qui te fait penser ainsi ?*
- *Comment pourrait-on rendre cette page encore plus utile pour les projets de recherche ?*
- *De quelles façons cette page annonce-t-elle ou fait-elle la promotion de son propre site Web ?*

# Apprendre aux élèves à évaluer les textes

À notre époque où prolifèrent les nouvelles formes d'information comme Internet, les documentaires dramatisés télévisés et les livres de «fiction-réalité», qui combinent les faits et l'information inventée, il n'est plus toujours facile de distinguer la réalité de la fiction. Les œuvres de fiction historique, par exemple, sont un moyen ingénieux de transmettre des renseignements sur d'autres lieux et d'autres époques, mais le lecteur doit apprendre à faire la part des choses entre les faits historiques et le scénario de l'histoire. Les textes informatifs forment une catégorie extrêmement vaste et mal définie, mais généralement reconnue par la plupart des gens comme des textes véridiques, ou reposant sur des faits. Toutefois, la validité et l'authenticité des textes appartenant à cette catégorie ne sont plus assurées. Les textes multimédias qui combinent des textes narratifs et des textes informatifs sont de plus en plus populaires dans les classes et sont également plus complexes.

Compte tenu du flot constant d'idées et de renseignements disponibles, il est devenu de plus en plus urgent que les lecteurs connaissent une autre façon de lire – au-delà des techniques de lecture et de la pratique de la lecture pour l'information et le plaisir. Les élèves doivent savoir interpréter, évaluer et questionner ce qu'ils lisent. Cela s'applique autant aux textes narratifs qu'aux textes informatifs.

En utilisant la lecture partagée comme approche dans un répertoire de stratégies et d'approches pédagogiques, l'enseignant peut modéliser le raisonnement critique dont le lecteur doit faire preuve pour départager les faits des opinions, reconnaître les préjugés, et s'apercevoir si un auteur exprime un point de vue personnel. Sous l'appellation de littératie critique (Luke et Freebody, 1997), par exemple, ce type d'enseignement devient de plus en plus nécessaire dans les écoles du monde entier.

De courts textes appropriés à la lecture partagée se trouvent facilement dans les journaux, les magazines, les affiches et tout autre matériel de lecture s'adressant spécifiquement aux jeunes. Certains de ces textes sont de format assez grand pour être lus tels quels en lecture partagée. D'autres doivent être agrandis ou transférés sur un transparent de rétroprojecteur. Les annonces pleine page constituent un filon intéressant, tout comme les titres sportifs. Les textes doivent avoir une pertinence et une signification pour les élèves, afin de leur offrir une base intéressante à partir de laquelle ils peuvent considérer les textes d'un œil critique. Il faut apprendre aux élèves à envisager les textes, y compris ceux qui se trouvent sur Internet, dans un esprit de curiosité et d'analyse (Daguet, 2000).

## Juger un livre par sa couverture

Dans la lecture partagée, l'examen de textes descriptifs qui apparaissent en quatrième de couverture des livres constitue une forme d'évaluation qui peut enrichir le répertoire de lecture individuelle des élèves. Dans l'exemple qui suit, une enseignante partage les stratégies qu'elle utilise pour choisir un nouveau roman à lire. Elle emploie ensuite les notices publicitaires des jaquettes de plusieurs romans de littérature jeunesse pour montrer aux élèves comment ils peuvent évaluer et sélectionner les romans qu'ils veulent lire.

### Les stratégies utilisées pour choisir un roman

Je trouve très important de trouver le bon livre. Je ne veux pas perdre mon temps à lire un livre qui ne m'intéressera pas. Pour m'aider à choisir, je lis toujours le texte descriptif au dos du livre, et les critiques de ce livre. Je me pose ensuite quelques questions :

- *Qui est l'auteur ? A-t-il écrit autre chose ?*
- *Ai-je déjà entendu parler de cet auteur ou de ce titre ?*
- *Qui a écrit une critique de ce livre ? Est-ce un critique respecté ?*
- *Les critiques mentionnent-elles tous les éléments d'intérêt de ce livre ? Ressemble-t-il à d'autres livres que j'ai aimés ?*
- *Où l'histoire se passe-t-elle ?*
- *Quel est le genre du texte ? (Il y a des genres que j'aime plus que d'autres.)*
- *Le texte descriptif me rappelle-t-il quelque chose que j'ai vécu ? Pourrai-je m'identifier à cette histoire ?*
- *Quel est le personnage principal ? Vais-je l'aimer ? Vais-je me soucier de ce qui lui arrive ?*
- *Le livre fait-il partie d'une collection ? Si je l'aime, y en a-t-il d'autres semblables à lire par la suite ?*

Regardez maintenant ces exemples de livres écrits pour votre âge. Nous allons lire la jaquette ensemble et ensuite, vous essaierez de répondre à ces questions.

- *D'après-toi, où se déroulera cette histoire ?*
- *Qu'est-ce que le texte de quatrième de couverture nous apprend à propos de Jeff et de son père ?*
- *Quel genre d'histoire sera racontée dans ce livre ?*
- *Pourquoi voudrait-on lire ce livre ?*
- *On écrit que Jeff «découvrira les vraies circonstances de la mort de sa mère». Quelles pourraient être ces circonstances ?*

*Jeff est un garçon qui a perdu sa mère très jeune. Il vit seul avec son père qui aimerait voir en lui un futur athlète. Malheureusement, Jeff a très peu d'aptitudes pour les sports et préfère de loin la musique. De plus, son groupe musical comprend des jeunes de différentes cultures, ce qui contrarie aussi son père.*

*Tout est donc en place pour un conflit père-fils, jusqu'à ce que Jeff découvre qu'il a le goût de prendre sa propre vie en main. C'est alors qu'il découvrira les vraies circonstances de la mort de sa mère dix ans auparavant et, aussi, ce qui l'a amené à venir vivre son adolescence au lac Miroir.*

Tiré de *L'enfant du lac Miroir*, Louis Gosselin, 2004.

- Avant de lire, regardons la page couverture.
- Qu'est-ce que nous y voyons ? À quoi cette illustration te fait-elle penser ?
- Lisons le titre. Capte-t-il notre attention ?
- Lisons le texte de quatrième de couverture. Est-ce qu'il nous donne le goût de vouloir lire ce livre ?
- D'après toi, qui sera le véritable espion du laboratoire 307 ?

Alex Lambert est le témoin impuissant de l'arrestation de son père Jérôme, célèbre chercheur à l'Institut national de génétique. Le soir même, Alex quitte la maison et celle-ci est cambriolée. Des documents importants disparaissent du coffre-fort de son père. Quel complot se trame autour des découvertes du savant ? Qui est le véritable espion du laboratoire 307 ?

Une histoire dramatique à saveur internationale et aux nombreux rebondissements.

Tiré de *L'espion du 307*,
Louise-Michelle Sauriol, 2001.

- Le titre capte-t-il notre attention ?
- Comment le texte de quatrième de couverture capte-t-il notre intérêt ?
- Qu'est-ce qu'un pirate informatique ? D'après toi, quels sont les «étranges personnages aux allures fantomatiques» ?
- Qu'est-ce que le texte de quatrième de couverture nous apprend à propos de la relation entre Vincent et Nadia ?
- Quel genre d'histoire sera raconté dans ce livre ?

Phillipe, Vincent et Nadia jubilent. Ils ont infiltré un site informatique de haute importance. Le rêve de tous les jeunes pirates informatiques de la terre! Les amis vont découvrir des secrets ultraconfidentiels et devenir les héros du Web.

Mais leur euphorie s'effiloche lorsque Philippe disparaît mystérieusement. Puis, à son tour, Nadia s'envole sans laisser de traces. Vincent réussira-t-il à sauver ses amis ? Et s'il était lui-même poursuivi par d'étranges personnages aux allures fantomatiques ?

Pour Vincent, le défi s'annonce palpitant surtout que, depuis quelques temps, Nadia lui inspire des sentiments qu'il n'avait pas ressentis auparavant.

Tiré de *Sur les traces du caméléon*,
Josée Ouimet, 2002.

## Trouver des textes convenant à la lecture partagée

La lecture partagée donne aux enseignants une occasion merveilleuse d'être créatifs dans leur sélection et leur utilisation des textes. Il n'est pas nécessaire d'avoir plusieurs exemplaires puisque l'agrandissement ne pose pas de problème, et une fois la recherche de textes convenables entreprise, on en trouve dans toutes sortes d'endroits ou de contextes imprévus.

La clé pour trouver des textes convenant à la lecture partagée est de choisir le bon texte. Par exemple :

- Pour aider les élèves à mieux analyser un point de vue, choisissez un texte dans lequel l'auteur a développé une argumentation solide pour soutenir un point de vue. *Viser très haut* (Belcher, 2006) est un bon exemple de texte pour la troisième année. On y expose deux points de vue avec arguments à l'appui.
- Pour permettre aux élèves d'apprendre à élaborer du sens lorsqu'ils rencontrent des mots peu familiers dans un contexte, choisissez un texte qui comporte quelques mots difficiles dans un contexte très accessible.
- Pour montrer aux élèves comment ils peuvent améliorer leur compréhension en faisant des recoupements entre le texte et les éléments visuels, choisissez une page d'un livre pour lecteurs novices et une autre d'un texte informatif que les élèves ont trouvé stimulant.

## Présenter un point de vue

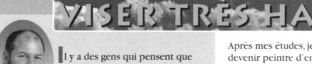

**Tony Christiansen**

Il y a des gens qui pensent que je ne suis pas intelligent ou sensible parce que je n'ai pas de jambes. C'est difficile pour moi. Ces gens ne comprennent pas que les personnes handicapées sont comme tout le monde.

J'ai grandi sans jambes, mais j'ai fait les mêmes activités que mon frère et ma sœur. J'ai grimpé aux arbres. Je suis monté à cheval et j'ai fait du vélo. Mon père m'a fabriqué un kart. Je roulais vite et je laissais tout le monde loin derrière.

Après mes études, je voulais devenir peintre d'enseignes. Au début, personne ne voulait m'engager. Les gens disaient : « Tu ne peux pas monter aux échelles. Tu ne peux pas conduire un camion. » J'ai persévéré. Quelques années plus tard, j'ai créé ma propre entreprise et fait travailler sept personnes.

Souvent, j'entends des gens dire : « Je ne suis pas capable. » J'ai alors envie de leur montrer que, si j'ai réussi sans mes jambes, ils peuvent y arriver avec deux jambes ! Dans la vie, si on croit qu'une chose est impossible, on ne la fera jamais. Rien ne m'arrête quand je veux atteindre un but !

Source : *Zénith Lecture partagée,* C. Parker, 2006.

## Les renseignements obtenus par recoupement

Quand tu étais plus jeune et que tu commençais à apprendre à lire, tu regardais souvent les illustrations d'un livre pour t'aider à comprendre le texte. Observe cette page. L'illustration donne plus de détails dont les jeunes lecteurs peuvent se servir pour avoir une meilleure idée de ce que les mots veulent dire.

Observe maintenant ces pages extraites d'un livre que nous avons lu quand nous avons étudié les plaines et les prairies du monde. Pour avoir une lecture fluide, tu peux encore utiliser les indices visuels pour t'aider à comprendre le texte. La savane est peut-être un nouveau terme pour toi. Le texte nous renseigne sur la plaine de Serengeti, en Afrique, qui est la savane la plus vaste au monde, mais sans l'illustration, tu aurais peut-être du mal à t'imaginer à quoi ressemble « la grande migration » des animaux. L'illustration t'aide à confirmer ta compréhension du texte et te donne plus de détails. De la même façon dont tu faisais des recoupements entre les mots et les images quand tu commençais à lire, tu peux maintenant utiliser les indices visuels, les graphiques et le texte pour mieux comprendre des idées complexes et le nouveau vocabulaire.

Source : *La vie dans les prairies*, S. Irvine, 2004, pages 15 et 16.

Autres suggestions de textes pour la lecture partagée :

- courtes histoires ;
- livres d'images de grand format ;
- extraits de romans ;
- menus ;
- recettes ou descriptions d'expériences ;
- articles de journaux et de magazines ;

- horaires, billets et programmes de spectacle;
- publicité – comme un panneau publicitaire observé dans la région;
- textes illustrés avec photos, schémas ou diagrammes;
- pages de manuels scolaire;
- tests;
- directives et autres exemples de marche à suivre.

# Chapitre 4

# L'enseignement fondé sur l'évaluation

*La lecture partagée constitue un moyen utile de procéder à des évaluations informelles, car les discussions avec les élèves vous permettent de savoir où ils se situent, et ce qu'ils pensent. Vous pouvez demander aux autres élèves : « Quels sont ceux qui pensent de cette façon ? », et si ce n'est pas une question que vous voulez approfondir tout de suite, vous la notez et clarifiez les choses avec ces élèves plus tard, par exemple lors d'une prochaine séance de lecture guidée.*

Nicole, enseignante en cinquième année.

## L'évaluation et l'enseignement

L'évaluation fait partie intégrante de l'enseignement et de l'apprentissage, et elle peut prendre plusieurs formes. Les données d'évaluation sont plus faciles à utiliser quand elles sont recueillies directement auprès des élèves, et révèlent leurs forces aussi bien que leurs besoins d'apprentissage. Ces données aident ensuite à planifier l'enseignement. Cette planification doit tenir compte des objectifs d'apprentissage, des approches à privilégier, et du matériel nécessaire. Après chaque bloc d'enseignement, les progrès des élèves sont notés et évalués de façon continue afin de faciliter la planification. De cette façon, l'enseignement est fondé sur l'évaluation.

Durant ses entretiens de lecture, Maxime a remarqué que plusieurs élèves éprouvaient des difficultés à comprendre les histoires comportant beaucoup de dialogues. Ils ne savaient pas toujours clairement quel personnage était en train de parler, ce qui les empêchait de faire des liens entre les personnages et les actions, et entraînait une perte de compréhension. Durant la séance suivante de lecture partagée, Maxime a observé et a écouté les élèves alors qu'ils lisaient et discutaient entre eux des histoires comportant des dialogues. Il a observé que plusieurs élèves avaient de la difficulté à comprendre quand ils devaient lire des dialogues plus complexes. Il était évident que des élèves ne géraient pas leur compréhension. Comme c'était un problème assez répandu, il a opté pour une séance de lecture partagée en choisissant un extrait qui comportait de bons exemples de dialogues complexes. L'approche utilisée par Maxime est décrite plus en détail, à la page 48.

Comme toute pratique pédagogique, la lecture partagée doit être planifiée et se fonder sur une évaluation. On peut d'ailleurs obtenir beaucoup de renseignements *pendant* une séance de lecture partagée. Les réactions des élèves, leurs interventions durant les discussions et leurs observations sur un texte en apprennent beaucoup à l'enseignant quant à leur niveau de compréhension et leur habileté à utiliser les stratégies enseignées.

Dans l'ambiance interactive d'une séance de lecture partagée, l'enseignant peut également observer de quelle façon les élèves échangent entre eux. C'est plus qu'une question d'intégration sociale. L'enseignant doit connaître les aptitudes des élèves et leur volonté de participer à ce type de discussion favorisant l'apprentissage individuel et collectif. L'observation de la participation active des élèves peut contribuer à la planification future. À la suite de cette observation, l'enseignant pourrait décider de consacrer quelques séances sur la manière de donner et de recevoir une rétroaction dans un groupe.

# Connaître les apprenants

Les enseignants efficaces observent constamment les élèves et supervisent leur comportement en lecture, comme Maxime l'a fait dans l'exemple précédent. Ces observations les aident à préciser leurs approches pédagogiques. L'observation est une des plus importantes formes d'évaluation pour les enseignants désireux de planifier et de superviser leurs pratiques d'enseignement.

À partir de la troisième année, à mesure que les élèves deviennent plus autonomes dans leur lecture, les enseignants peuvent noter ces types de pratiques et d'aptitudes.

L'élève :

- lit avec fluidité ;
- établit des liens entre sa lecture et ses propres expériences ;
- fait des prédictions, les vérifie, les confirme ou les révise ;
- fait des efforts de compréhension et recherche la précision ;
- peut faire des inférences ;
- peut s'apercevoir qu'un auteur exprime un point de vue personnel ;
- utilise à bon escient les caractéristiques des textes documentaires ;
- cherche à comprendre le sens des mots nouveaux ou peu familiers en examinant le contexte ;

- remarque les traits distinctifs du langage employé ;
- peut faire la distinction entre des faits et des opinions ;
- reconnaît les détails importants ;
- peut synthétiser l'information ;
- peut tirer des conclusions.

Avec les élèves du deuxième et troisième cycles, les enseignants doivent encore superviser et, dans bien des cas, enseigner ces aptitudes et ces pratiques. Les enseignants doivent également être attentifs aux pratiques plus avancées démontrées par leurs élèves, telles que :

- lire en faisant preuve de raisonnement critique afin de reconnaître l'intention d'un auteur, son point de vue, et possiblement ses préjugés ;
- faire différentes interprétations d'un texte et les comparer ;
- intégrer des stratégies en lisant (en montrant qu'il gère sa compréhension et peut s'autocorriger pendant la lecture) ;
- utiliser les indices donnés dans le texte pour soutenir ses suppositions ;
- évaluer les textes informatifs et narratifs selon des critères définis ;
- rechercher, choisir, regrouper et synthétiser les renseignements ;
- comparer et utiliser les renseignements présentés sous différentes formes ;
- réagir personnellement au texte en démontrant une profondeur d'analyse et l'habileté à relier le texte à ses connaissances antérieures.

Si l'enseignant insiste trop sur les connaissances ou habiletés qui font défaut les élèves, se sentiront frustrés, décrocheront et ressentiront un sentiment d'échec. Si, d'un autre côté, l'enseignant ne reconnaît pas l'apprentissage déjà effectué par les élèves, ceux-ci pourront se démotiver et réussir moins bien qu'ils ne le pourraient. En mettant l'accent sur ce que les élèves peuvent déjà faire, l'enseignant peut établir un point de départ pour l'étayage de l'apprentissage. Il peut ainsi reconnaître ce qui doit être consolidé, et ce qui doit être modélisé et enseigné. Les liens à établir avec les connaissances à acquérir deviendront du même coup plus clairs pour les élèves.

# Le processus d'évaluation

Effectuées aux moments opportuns, les évaluations aident les élèves à apprendre, éclairent les enseignants sur les élèves et les guident dans la planification de leur enseignement. Les moments d'évaluer ce que les élèves peuvent faire sont nombreux :

- entretiens individuels et observations pendant les périodes de lecture individuelle ;
- observation des élèves pendant la lecture partagée ou guidée et les autres activités reliées à la lecture ;
- discussions ouvertes avec les élèves à propos de leurs préférences et de leurs difficultés en lecture ;
- autoévaluation (au cours de laquelle les élèves évaluent leur propre performance selon des critères clairement définis) ;
- analyse de travaux écrits à différentes étapes de la production ;
- entretiens individuels sur l'écriture ;
- sondages auprès des élèves ;
- analyse des fiches d'observation individuelles ou d'autres éléments de diagnostic (cette approche est plus appropriée avec les élèves en difficulté) ;
- analyse des résultats aux examens formels (souvent normalisés).

## Rassembler les indications sur le rendement et le progrès des élèves

Si l'évaluation procure des renseignements pertinents sur chacun des élèves, les enseignants trouvent parfois difficile d'appliquer ces renseignements individuels au groupe entier ou à un sous-groupe d'élèves. Il vaut vraiment la peine de regrouper les indications sur le rendement de chaque élève dans une fiche d'observations de la classe afin d'éclairer les décisions à prendre dans les activités avec des sous-groupes, ou pour préciser des objectifs concernant la classe entière lors d'activités comme les séances de lecture partagée.

Ricardo, un enseignant de quatrième année, a synthétisé ainsi les renseignements recueillis auprès des élèves :

| Tableau 4.1 La fiche d'observations de la classe | L. Alvarez | quatrième année |
|---|---|---|
| **Le nom** | **La date** | **Les besoins identifiés** |
| Chastity | 18/04 | Mieux reconnaître les caractéristiques des différents types de textes afin d'améliorer sa compréhension. Développer son intérêt pour différents types de lectures. Participer davantage aux discussions de groupe en tirant profit des interventions des autres élèves. |
| Matthew | 16/04 | Faire des pauses et relire pour mieux gérer sa compréhension. Améliorer la fluidité en portant attention à la ponctuation et aux structures de phrases. Lire en faisant des efforts de compréhension – faire des inférences sur les actions et les émotions des personnages. |
| Ali | 15/04 | Participer davantage aux discussions en petit groupe. Utiliser les supports du texte, dont la syntaxe : Cette phrase a-t-elle du sens ? Relire afin d'améliorer la fluidité et la compréhension. |
| Elizabeth | 15/04 | Mieux gérer sa compréhension par la relecture et l'examen attentif des pages précédentes. Décode bien les mots, mais doit faire des liens entre les événements de l'histoire et les relations entre les personnages. Se poser des questions durant la lecture afin d'établir des liens. |
| Jose | 19/04 | Porter attention à la syntaxe : cette phrase est-elle bien construite ? Améliorer sa fluidité en accentuant l'expressivité pour rehausser le sens. Faire des inférences à partir du texte et de ses caractéristiques. |
| Aurelyn | 19/04 | Mieux gérer sa compréhension en posant des questions et en faisant des liens durant la lecture. Prendre de l'assurance dans les discussions en petit groupe. Examiner attentivement le texte afin de faire de meilleures prédictions. |
| Saleb | 19/04 | Surveiller sa compréhension et relire s'il y a perte de sens. Améliorer sa fluidité et son expressivité, surtout dans la lecture de dialogues. Anticiper le texte, les marques de ponctuation et les structures de phrases pour assurer la fluidité. Reconnaître des mots nouveaux en utilisant le contexte. |
| Adriana | 19/04 | Mieux gérer sa compréhension, poser des questions : cette phrase a-t-elle du sens ? Apprendre à bien choisir ses lectures individuelles. Utiliser le contexte pour mieux comprendre les mots nouveaux ou les groupes de mots connus. Mieux comprendre certains textes en se basant sur ses connaissances d'autres livres de la même collection. |
| Jason | 19/04 | Relire pour vérifier sa compréhension. Mettre à profit sa compréhension d'une histoire pour faire des prédictions pendant la lecture. Se servir du contexte pour décoder les mots nouveaux. Identifier les détails importants et pertinents. |
| Angel | 22/04 | Se servir de ses connaissances antérieures afin de faire des liens entre différents concepts pendant la lecture. Reconnaître les stéréotypes et les préjugés. |

La plupart des élèves de Ricardo étaient d'origine hispanique et réussissaient assez bien à décoder les textes. Toutefois, plusieurs d'entre eux ne semblaient pas apprécier la lecture. En examinant de nouveau les fiches d'observations individuelles des élèves, il a confirmé ses doutes : plusieurs élèves pouvaient lire à voix haute avec un bon degré de précision, mais ne comprenaient pas les textes qu'ils lisaient. Ils géraient mal leur processus de compréhension, et ne se rendaient donc pas compte des pertes de sens au moment où elles se produisaient.

Malgré la précision qu'ils affichaient dans leur lecture, plusieurs élèves manquaient de fluidité et de confiance en leurs habiletés de lecteurs. Plusieurs d'entre eux ne pouvaient faire de liens avec leurs connaissances antérieures pour comprendre la structure des textes, ou entre le texte et leurs expériences personnelles. Cela diminuait grandement leur capacité d'élaborer du sens. En examinant et en appliquant à l'ensemble de la classe les données recueillies individuellement, Ricardo a pu prendre des décisions et se fixer des objectifs pédagogiques appropriés.

Lors des séances de lecture partagée avec toute la classe, Ricardo s'est d'abord fixé ces objectifs :

- établir des liens entre ses connaissances antérieures et le texte lu ;
- gérer sa compréhension en posant des questions à propos du texte ;
- améliorer la fluidité en observant la ponctuation et les structures de phrases.

Il a décidé de mettre l'accent sur ces stratégies de lecture parce qu'il sentait que cela aiderait les élèves à progresser dans leur apprentissage et à connaître certains succès dans leur lecture. Il pourrait par la suite leur suggérer de nouvelles stratégies et les aider à développer leurs habiletés de compréhension approfondie.

Pendant quelques semaines, Ricardo a mené des séances de lecture partagée en choisissant plusieurs sujets que les élèves pouvaient facilement relier à leurs connaissances antérieures. Il a montré de quelle façon les bons lecteurs anticipent le sens d'un texte en réfléchissant à leurs propres expériences et en se rappelant leurs connaissances. Il a modélisé cette utilisation de connaissances antérieures qui aide à comprendre les textes. Au cours d'autres séances, il a montré aux élèves comment pratiquer la relecture, se questionner à propos du texte, faire des pauses et réfléchir, ou faire des liens personnels s'ils ne comprenaient pas. Il leur a aussi montré à se servir du contexte et des indices donnés par le texte pour découvrir le sens des nouveaux mots. Lors de chaque séance, il s'est appliqué à améliorer la fluidité des élèves, en modélisant une excellente lecture tout en expliquant comment il tirait profit de la ponctuation et des structures de phrases. Il a donné plusieurs occasions aux élèves de pratiquer avec lui la relecture de phrases ou de paragraphes à voix haute, ou à deux durant les séances de lecture partagée. Ricardo a supervisé leur apprentissage en prenant de brèves notes sur les élèves pendant les séances de lecture partagée, guidée ou autonome. Il a également complété des fiches d'observations individuelles pour les élèves ayant plus de difficulté en lecture, de manière à suivre de près leur progression.

# Choisir les objectifs de la lecture partagée selon les données d'évaluation

Pour préciser les objectifs de leurs séances de lecture partagée, les enseignants peuvent utiliser les données d'évaluation décrites précédemment et garder ces questions à l'esprit :

- *Qu'est-ce que les élèves ont besoin de savoir ou de faire ?* La réponse peut dépendre des exigences du programme d'études, des attentes spécifiques de l'école, du processus d'apprentissage en littératie, et de ce que les élèves réussissent déjà.

- *Quelles habiletés, stratégies ou aptitudes les élèves possèdent-ils déjà ?* Cette information peut s'appliquer aux individus, aux sous-groupes ou à toute la classe.
- *Quelle est la prochaine étape logique et atteignable pour les élèves ?* Les objectifs peuvent être définis spécifiquement pour chaque individu, pour un groupe d'élèves ou pour toute la classe.
- *Quelle approche répondra le mieux aux besoins des élèves ?* Si plusieurs élèves ont les mêmes besoins, la lecture partagée devient un choix évident.
- *Comment saurai-je si les élèves s'améliorent ? Quels signes dois-je remarquer ?* En planifiant à l'avance leur évaluation de l'apprentissage, les enseignants se rendent responsables de leur enseignement et de l'apprentissage des élèves. Il est alors important d'indiquer aux élèves les objectifs. Par exemple, l'enseignant peut décider de faire un test de lecture orale avant et après plusieurs séances axées sur la fluidité dans la lecture. L'enseignant et les élèves peuvent alors évaluer par eux-mêmes les résultats concrets de l'enseignement et de l'apprentissage.

Dans l'exemple de la page 44, Maxime s'est aperçu que les dialogues posaient un problème pour plusieurs élèves. Maxime a fixé ces objectifs pour les élèves :

- se servir des conventions typographiques et des indices donnés par le texte (guillemets, mention du nom de la personne qui s'exprime) pour savoir quelle personne parle dans les dialogues ;
- apprendre à superviser sa compréhension ;
- relire lorsqu'il y a perte de compréhension.

Maxime pourra considérer que ces objectifs ont été atteints lorsque les élèves pourront lire et comprendre un dialogue complexe, et expliquer de quelle façon ils ont pu suivre ce dialogue sans interruption.

Maxime n'avait pas besoin de donner des explications complètes sur les dialogues, car les élèves savaient déjà quelle était leur utilité dans un texte. Utiliser ce que les élèves font ou comprennent déjà aide à établir des liens. Il est aussi beaucoup plus facile de construire des connaissances sur quelque chose de familier que sur l'inconnu.

Maxime a transcrit sur un transparent de rétroprojecteur un extrait de texte qui pourrait être plus difficile pour les élèves et l'a utilisé lors d'une séance de lecture partagée. Il cherchait à savoir ce que les élèves faisaient lorsqu'ils devaient lire un dialogue, et leur montrer à utiliser ce qu'ils connaissaient déjà à propos des dialogues. Avant de lire l'extrait au groupe, il a rappelé que les bons lecteurs se rendent compte s'il y a perte de compréhension. Il a ajouté qu'il avait remarqué que plusieurs élèves semblaient perdre toute compréhension lorsqu'ils lisaient un long dialogue, et que la séance de cette journée porterait sur les moyens de corriger leur façon de lire lorsqu'ils ne comprenaient plus le texte. Maxime a discuté de choses que les élèves savaient déjà concernant la lecture des dialogues, afin de les préparer à faire des liens avec de nouvelles connaissances. Il leur a ensuite demandé de lever la main si, pendant qu'il lisait le passage à voix haute, ils ne savaient plus quel personnage était en train de parler. Après avoir lu tout le texte une fois, Maxime est revenu aux endroits où les élèves avaient levé la main. Il leur a posé quelques questions :

- *Que s'est-il passé pour toi à ce moment ?*
- *Qu'aurais-tu pu faire pour savoir quel était le personnage qui parlait ?*
- *Comment peux-tu faire pour reconnaitre les différents interlocuteurs ?*

## L'examen d'un dialogue complexe

*Michel commençait décidément à trouver bien étrange ce garçon inconnu. Pourtant, il ne pouvait s'empêcher de l'écouter. Il y avait dans le ton de sa voix, dans son regard, quelque chose d'insistant et d'émouvant à la fois.*

*– Il faudrait que j'aille à l'Île-du-Prince-Edouard !*

*– Oui. C'est la seule façon de retrouver la lettre.*

*– Il va falloir que je demande à mes parents.*

*– Essaie de les convaincre. Mais ne parle pas de la lettre avant de l'avoir retrouvée.*

*– Je ne suis jamais allé à l'Île... Je leur demanderai si on peut y aller pour les vacances !*

*Michel conservait cependant une certaine méfiance. Après tout, la demande du garçon était plutôt farfelue.*

*– J'aimerais tout de même que tu éclaires ma lanterne. Comment sais-tu tout ça ? Qui es-tu ? D'où viens-tu ? Pourquoi me demandes-tu ça ?*

*Le garçon ne répondit pas. Il insista plutôt pour que Michel lui donne sa parole :*

*– Jure-moi que tu ne parleras pas de la lettre tant que tu ne l'auras pas retrouvée.*

*– Je le jure, promit Michel sans trop penser à quoi il s'engageait.*

Tiré de *Le mystère de la maison grise*,
Jules Boudreau, 2003, pages 29 à 31.

Maxime a noté les réponses des élèves : relire le passage, écrire les noms des personnages en marge du texte, lire en prenant une voix différente pour chaque personnage et relire le texte au complet. À la seconde lecture de Maxime, très peu de mains se sont levées. Maxime a vérifié l'utilisation des stratégies par les élèves :

* *Comment indique-t-on habituellement la personne qui parle dans un dialogue ?*
* *Que pouvons-nous faire lorsqu'il n'y a pas d'indication ?*

Maxime a discuté avec les élèves et, au moment opportun, il a modélisé une combinaison de stratégies (gérer sa compréhension en faisant une pause et en relisant en cas de perte de compréhension, ou observer les conventions typographiques) qui aident à garder le fil d'un dialogue dans une histoire. Pendant les deux semaines suivantes, il a utilisé trois autres exemples de dialogues dans ses séances de lecture partagée, pour permettre aux élèves de pratiquer ces stratégies. Il a sélectionné des textes comportant des dialogues pour les groupes de lecture guidée. Au cours des semaines suivantes, il a supervisé l'apprentissage des élèves et l'application des stratégies, en continuant d'aider ceux qui avaient encore de la difficulté. Dans cet exemple, l'enseignant pratiquait la lecture partagée pour :

* évaluer (en déterminant les cas où il y a perte de compréhension pour les élèves) ;
* enseigner des stratégies (en les modélisant et en donnant aux élèves l'occasion de les mettre en application) ;
* évaluer l'apprentissage (en supervisant l'utilisation de stratégies dans les séances de lecture partagée ultérieures et les autres situations de lecture).

# Chapitre 5

# La séance de lecture partagée

## Les composantes d'une séance de lecture partagée

Chaque séance de lecture partagée est unique. L'objectif de la séance, la familiarité avec le texte et le niveau d'aide apportée par l'enseignant sont des facteurs très variables. La lecture partagée est un exercice intentionnel et planifié visant un objectif. Son succès dépend de l'organisation matérielle et des outils utilisés. Dans la description qui suit, on suppose que l'enseignant a soigneusement choisi un texte selon les connaissances, les expériences et les compétences des élèves, a établi les objectifs et a préparé des questions qui susciteront la réflexion et développeront la compréhension en lecture.

## La présentation du texte

Lors de la lecture partagée, la présentation du texte est importante, car c'est à ce moment que l'enseignant motive les élèves et suscite leur intérêt pour la lecture. Une bonne façon d'y parvenir est de déterminer l'intention de lecture et d'établir des liens entre les connaissances et les expériences personnelles des élèves et le sujet ou le texte présenté. L'activation des connaissances antérieures amène les élèves à réfléchir à ce qu'ils connaissent déjà du sujet présenté et suscite leur intérêt. Le questionnement devant un nouveau texte rend les élèves réceptifs au nouvel apprentissage. S'ils n'ont aucune expérience ou connaissance du sujet, il faudra consacrer quelque temps à expliquer le contexte à l'aide d'objets, de photographies ou d'histoires pour créer un lien avec le texte. Cette entrée en matière peut s'effectuer en quelques minutes. Toutefois, s'il s'agit d'un sujet vaste ou complexe que les élèves ne peuvent relier à des expériences personnelles, il faudra consacrer plus de temps et même, dans certains cas, répartir cette présentation sur quelques jours, afin que le texte ou le sujet présenté ait une signification pour les élèves.

L'enseignant explique le choix du texte et présente l'intention de lecture. Cette explication est encore plus profitable quand on peut établir des liens avec les besoins des élèves. Il peut en profiter pour suggérer quelques questions auxquelles tous chercheront à répondre au cours de la lecture partagée. Ces questions peuvent être préparées ou faire l'objet d'une discussion de groupe. Il y a plusieurs façons de commencer une séance de lecture partagée. Peu importe celle qu'on choisit, elle doit demeurer assez brève et concise.

## Le rôle de l'enseignant

### La lecture du texte à voix haute

Quel que soit l'objectif de la séance de la lecture partagée, l'intérêt et la motivation des élèves à vouloir comprendre le texte sont d'une importance primordiale. « La lecture est un processus de construction de sens. » (Giasson, 1995, page 13.) Or, l'enseignant :

- doit être un modèle de lecteur : il doit lire avec enthousiasme, moduler le volume et le ton de sa voix et montrer que la lecture est une expérience agréable et dynamique ;
- lit le texte à voix haute à la première lecture pendant que les élèves écoutent et observent ;
- aura déjà lu le texte afin d'avoir une lecture fluide et expressive ;
- fait, en général la première lecture d'un nouveau texte avec un minimum de pauses ou d'interruptions. Cela afin de donner une vue d'ensemble du texte aux élèves, ce qui les aide dans leur construction de sens ;
- modélise, pendant les lectures suivantes, des stratégies pour résoudre des problèmes de décodage ou de compréhension, anime une discussion sur le contenu, amène les élèves à pratiquer les stratégies et les habiletés apprises et pose des questions qui encouragent la réflexion sur certaines parties du texte ou le travail sur le choix des mots ou des expressions ;
- varie le nombre d'interventions effectuées pendant la lecture selon le type de texte et les besoins des élèves. Ainsi, si l'objectif est d'étudier les caractéristiques d'un diagramme annoté, on peut s'attarder à en lire chaque annotation et à en discuter avec les élèves ;
- emploie, après une première lecture, une diversité de méthodes qui inciteront les élèves à participer à la lecture. Par exemple, relire l'ensemble ou une partie du texte en invitant les élèves à lire en chœur les expressions, les locutions et les mots répétés. Cette pratique aide les élèves à se concentrer sur le texte, leur demande une participation active et contribue à améliorer la fluidité en lecture ;
- peut également faire des pauses avant certains mots et laisser les élèves compléter la phrase ou une partie de la phrase. Si le texte est écrit en vers, il demandera aux élèves de donner le mot qui rime ;
- peut utiliser une baguette pour aider les élèves à concentrer leur attention sur la partie du texte lue.

### L'enseignement explicite

Durant la lecture et la discussion d'un texte, l'enseignant mène un enseignement explicite, fondé sur les objectifs de la séance de lecture. Cet enseignement peut s'effectuer en modélisant l'emploi d'une stratégie particulière, ou en montrant aux élèves comment lire un type de texte dans un but spécifique. Certaines de ces pratiques sont décrites ici, et d'autres seront présentées aux chapitres 6, 7, 8 et 9.

L'enseignant :

- modélise la lecture ou l'interprétation d'un texte selon l'objectif établi. Durant la modélisation, il peut réfléchir à voix haute, écrire des notes au tableau ou relire certaines parties du texte ;

- modélise la stratégie spécifique qu'il a enseignée ou les stratégies à appliquer, surtout si la séance porte sur plusieurs d'entre elles ;
- assure la participation des élèves et leur écoute attentive. Il vise à amener les élèves à appliquer la stratégie de façon autonome et à saisir le moment pour l'utiliser ;
- peut également modéliser comment réagir aux réponses des autres et comment poser certaines questions pour donner suite à la discussion. Cela favorise un climat de respect et de raisonnement critique dans les discussions en classe. Ainsi, il valorise les idées de tous les élèves et les amène à prendre conscience qu'ils peuvent apprendre les uns des autres.

## La modélisation

*Hier, je vous ai montré comment je m'assurais de comprendre tout en lisant et quels ajustements j'apportais durant ma lecture. Les bons lecteurs se rendent compte s'ils comprennent ce qu'ils lisent, ou s'ils doivent faire quelque chose pour gérer la perte de compréhension. Quand je détecte la perte de compréhension, je commence toujours par relire la partie que j'ai trouvée difficile. Si je suis toujours en panne, je me pose des questions sur le texte, l'auteur ou sur mes connaissances ou mes expériences. Par exemple, je me demande : «Que dois-je savoir pour comprendre ce texte?» S'il me manque certaines connaissances, je me demande où je pourrais les trouver. Très souvent, il me suffit de chercher une ou deux définitions dans le dictionnaire, ou encore de demander conseil à une personne qui connaît mieux ce sujet. D'autres fois, je réussis à mieux comprendre en questionnant le texte ou les intentions de l'auteur.*

*M'arrêter pour me poser ces questions ralentit ma lecture, mais cela m'aide à déterminer le type de problème. Il faut que j'arrête dès que je m'aperçois qu'une chose dans le texte a échappé à ma compréhension. Si vous êtes conscients de vos difficultés, cela vous aidera énormément lorsque vous lirez des passages complexes dans un manuel ou un roman, par exemple. Lorsqu'on détecte la perte de compréhension, il faut déterminer le type de problème, évaluer son importance, choisir une stratégie de dépannage qui permettra de récupérer le sens du texte et ensuite, vérifier l'efficacité de cette stratégie. Lisons ensemble à l'écran cette page tirée de votre manuel de sciences. Je vais vous montrer de quelle façon je résous les problèmes dans le premier paragraphe, et vous m'aiderez à lire la suite.*

## L'encouragement à la participation active

Pendant la lecture partagée, la discussion est orientée sur le texte et sur l'objectif. Au chapitre 7, on présentera comment le questionnement et la rétroaction aident à approfondir la compréhension des textes. L'habileté de l'enseignant à encourager la participation active des élèves dans la lecture et l'interaction est essentielle à la réussite d'une séance de lecture partagée.

Ainsi, l'enseignant :

- domine davantage la discussion lors de la première lecture du texte. Cependant, au fur et à mesure que les élèves assument la responsabilité de leur lecture il les encourage et les soutient afin qu'ils travaillent individuellement ou par deux ;
- pose des questions préparées ou soulève des points reliés à l'objectif de la séance de lecture en tenant compte des intérêts et des expériences des élèves afin d'encourager l'interaction ;
- encourage les élèves à relire à voix haute une partie du texte, mais jamais dans le but de tester leur compétence de lecteur. Pour stimuler la participation active

des élèves, il peut, par exemple, leur demander de lire des phrases ou des locutions importantes, ou des annotations de diagrammes ;

- pose des questions qui doivent développer chez les élèves différentes habiletés supérieures de la pensée. Il veut développer la capacité des élèves à se questionner pour choisir les stratégies efficaces et utilisables par la suite de manière autonome ;

- doit encourager les élèves à prendre des risques et à faire l'essai de nouvelles stratégies dans un climat de classe positif et valorisant ;

- doit garder un contact visuel avec les élèves, incluant ceux placés en périphérie du groupe. Il doit assurer la participation active de tous les élèves. Avec les élèves dont la culture d'origine accepte mal ces contacts visuels, il pourrait encourager leur participation en s'approchant d'eux ou en leur adressant directement la parole ;

- rétroagit à la suite des réactions des élèves pour étayer leur apprentissage en stimulant leur réflexion ou en clarifiant ou confirmant certains points. La rétroaction peut et doit également venir des élèves qui s'entraident dans leur apprentissage (voir le chapitre 7) ;

- peut utiliser un tableau ou une grande feuille de papier pour noter des points de discussion, inscrire ou noter les caractéristiques du texte lu, ou pour étudier le vocabulaire moins familier ;

- doit encourager l'interaction des élèves. Par exemple, il peut leur suggérer de discuter certains points en dyades (cela peut se faire en équipes normales ou en jumelant simplement deux élèves assis l'un près de l'autre), ou il peut former de petites équipes qui discuteront brièvement de leurs idées avant d'en faire part à l'ensemble de la classe.

## Encourager l'interaction durant une séance de lecture partagée

- *Lisez le texte suivant avec moi, puis tournez-vous vers votre partenaire et discutez de ce que nous venons de lire.*

- *Quels points communs ce texte présente-t-il avec ce que nous connaissions déjà ?*

- *Qu'est-ce que nous avons appris de nouveau ?*

- *J'aimerais maintenant que vous réfléchissiez à l'extrait suivant que l'on retrouve dans cette page – Shackleton [...] a cherché un moyen de ramener l'équipage en sécurité sur la terre ferme.*

- *Avec votre partenaire, demandez-vous quels moyens Shackleton aurait-il pu trouvé pour sauver l'équipage. Chacun de vous va exposer ses hypothèses. Vous échangerez vos idées dans quelques instants avec le groupe.*

Source : *Zénith Lecture partagée*, J. Marriott, 2006.

# Le rôle des élèves

*Quand j'utilise des textes de sciences humaines dans les séances de lecture partagée, cela donne aux élèves l'occasion d'aborder un texte plus complexe avec leurs pairs, au lieu de le lire individuellement, ce qui demande parfois beaucoup d'efforts. Mon rôle est celui d'un guide : je leur indique un point de départ et leur montre comment je m'y prends pour lire le texte. Je les laisse ensuite échanger leurs idées, se poser des questions, se valoriser. La lecture partagée offre l'occasion d'échanger des idées et de discuter, ce qui incite les élèves à réfléchir de manière autonome et à faire part de leurs réflexions à propos du texte lu, tout en se sentant supportés.*

Élisabeth, enseignante en cinquième année.

Une séance de lecture partagée constitue une activité d'apprentissage, et les élèves devraient savoir ce qu'on attend d'eux. La présentation leur a précisé les objectifs et les a préparés au texte.

- Tous les élèves suivent le texte des yeux, et doivent savoir que l'enseignant veut qu'ils lisent silencieusement ou à voix haute, et écoutent attentivement.
- Les élèves doivent réfléchir au texte en faisant des liens avec leurs connaissances du sujet ou d'autres textes similaires. Ils doivent être encouragés à utiliser les stratégies qu'ils connaissent déjà, par exemple faire des liens et des prédictions, ou faire appel à l'imagerie mentale.
- En s'inspirant de l'exemple de l'enseignant, les élèves devraient évaluer leurs propres réflexions et intégrer de nouvelles façons de penser. L'enseignant doit seconder avec soin cet exercice de métacognition, en rappelant cette démarche aux élèves alors qu'ils lisent, écoutent et participent aux discussions.
- La lecture partagée donne l'occasion d'essayer les stratégies et les pratiques de lecture qui ont été enseignées. Les élèves doivent se sentir prêts à prendre des risques, même s'ils ne sont pas tout à fait sûrs de leurs habiletés. Ils peuvent amorcer le travail en dyades ou en petites équipes, avant d'élargir la discussion à toute la classe. Le temps alloué et l'attention des élèves doivent être suivis de près, car les élèves ont toujours beaucoup à dire.
- Les élèves doivent savoir qu'ils auront à répondre à des demandes et à des questions, et qu'ils devront être à l'écoute de leurs pairs et contribuer aux échanges.
- Si l'enseignant a demandé aux élèves de lever la main pour parler, de prendre des notes ou leur a donné d'autres consignes, ils doivent avoir tout le matériel requis à portée de la main et suivre les consignes.
- Les élèves doivent respecter les règles de conduite établies en classe, comme respecter les autres, ne pas couper la parole et attendre son tour pour s'exprimer.
- Si les interactions ne se produisent pas spontanément durant une séance de lecture partagée, elles peuvent être suggérées par la modélisation, la répétition ou la division de la classe en deux groupes, dont un participera à une discussion pendant que l'autre observera. Il peut être plus approprié de modeler ce comportement interactif lors de minileçons spécifiques.

*Par exemple, si un élève répète une phrase qui vient d'être dite par un autre, je peux intervenir et lui dire : «Donc, tu es d'accord avec ce que vient de dire Marc, n'est-ce pas?» Ainsi, je lui fais comprendre que nous pouvons partager les mêmes idées. Je veux encourager les élèves à s'exprimer spontanément tout en écoutant les autres. Là encore, nous parlons de modélisation. Nous décrivons et modélisons la manière d'interagir dans un groupe.*

Huguette, enseignante de quatrième année.

## L'après-lecture : assurer le suivi

Les séances de lecture partagée ont souvent des effets cumulatifs, et il est rare qu'on puisse atteindre en une seule séance un objectif d'apprentissage à un point tel que les élèves sachent transférer leurs connaissances à d'autres situations. C'est pour cette raison que la meilleure activité de suivi à une séance de lecture partagée peut très bien être une autre séance menée un jour suivant, avec le même texte ou un autre, mais en poursuivant le même objectif. Le niveau d'aide offert par l'enseignant (le nombre de modélisations, par exemple) diminuera à mesure que les élèves maîtriseront la stratégie enseignée.

Les autres formes de suivi permettent aux élèves de mettre en pratique ce qu'ils ont appris. Tous les élèves ne réussiront pas à appliquer leurs connaissances après une seule séance de lecture partagée, et c'est justement pour cette raison qu'il faut assurer un suivi. Ces activités peuvent s'effectuer en plus petites équipes, individuellement, ou dans d'autres parties du programme de littératie. Pour plusieurs élèves, la lecture guidée constitue la meilleure forme de suivi, à cause du lien plus étroit entre l'enseignant et l'élève, et du niveau d'aide qui est différent. Dans la lecture guidée, les élèves peuvent pratiquer et montrer des stratégies apprises dans la lecture partagée.

La lecture partagée favorise de nombreuses activités de suivi. Ainsi, si l'objectif d'une séance de lecture partagée était d'examiner le langage figuré d'un poème, ces activités pourraient comprendre les points suivants :

- concentrer son attention sur le poème lors d'une séance de lecture guidée (le même jour ou un jour suivant, selon les besoins des élèves) ;
- analyser, individuellement ou en petits groupes, le langage employé dans deux ou trois poèmes similaires ;
- revenir au poème étudié et noter les exemples de langage figuré et leurs effets, individuellement ou en dyades.
- développer l'écriture poétique en employant un langage figuré dans les descriptions, dans une activité de lecture partagée conduite par l'enseignant, en petits groupes, ou individuellement ;
- employer le langage étudié pour écrire un poème en groupe ;
- reconnaître et discuter l'emploi de métaphores dans les poèmes étudiés pour expliquer ou décrire les phénomènes naturels ;
- analyser l'emploi de langage figuré dans les textes documentaires, par exemple les descriptions de phénomènes météorologiques dans un manuel.

L'activité de suivi peut avoir lieu tout de suite après la séance de lecture partagée, plus tard le même jour, ou une autre journée. Elle peut prendre plusieurs formes et s'inscrire dans différents aspects du programme. Il n'est toutefois pas essentiel d'avoir des activités de suivi après chaque séance de lecture partagée. Encore là, cela dépend des besoins des élèves.

Au chapitre 10, vous trouverez une analyse plus poussée des liens entre la lecture partagée et le processus d'écriture.

## L'école

*Dans notre ville, il y a*
*Des tours, des maisons par milliers,*
*Du béton, des blocs, des quartiers,*
*Et puis mon cœur, mon cœur qui bat*
*Tout bas.*

*Dans mon quartier, il y a*
*Des boulevards, des avenues,*
*Des places, des ronds-points, des rues,*
*Et puis mon cœur, mon cœur qui bat*
*Tout bas.*

*Dans notre rue, il y a*
*Des autos, des gens qui s'affolent,*
*Un grand magasin, une école,*
*Et puis mon cœur, mon cœur qui bat*
*Tout bas.*

*Dans mon école, il y a*
*Des oiseaux chantant tout le jour*
*Dans les marronniers de la cour*
*Mon cœur, mon cœur, mon cœur qui bat*
*Est là.*

Jacques Charpentreau, 1976.

# Chapitre 6

# Montrer comment faire : expliquer et modéliser

Au-delà des premières années scolaires, une raison importante d'utiliser la lecture partagée est de développer les habiletés supérieures de la pensée des élèves pour les conduire à une compréhension plus approfondie et plus subtile des textes. La lecture partagée permet un enseignement explicite des stratégies de compréhension. Par exemple, lors d'une séance de lecture partagée, on peut modéliser la stratégie de compréhension, poser des questions portant à la réflexion et orienter les réponses des élèves afin qu'ils apprennent à faire des réflexions de façon autonome.

Ces modélisations peuvent susciter des interactions qui favorisent l'apprentissage. Les questionnements, les demandes et la rétroaction de l'enseignant encouragent les élèves à poursuivre et à approfondir la discussion. Ce chapitre traite des explications et de la modélisation, alors que le chapitre 7 traitera du questionnement et de la rétroaction.

## Demander et expliquer

La plupart des gens se souviennent d'avoir été rebutés à l'idée d'entreprendre une tâche, parce qu'ils n'en voyaient pas la raison. « Parce que je le demande » est souvent la seule réponse donnée pour justifier les tâches fastidieuses exigées par un adulte. Dans certains cas, cette réponse peut être suffisante. Mais si les élèves doivent apprendre de ces activités, il est important qu'ils sachent *pourquoi* on leur demande de les accomplir. Expliquer exige qu'on dise *pourquoi* il faut accomplir un certain travail.

Dans l'enseignement, il est important que les élèves sachent ce qu'ils vont apprendre et pour quelle raison cela a de l'importance. Au chapitre 5, nous avons décrit quelques façons de présenter une séance de lecture partagée. Dans cette présentation, l'enseignant peut et doit dire ce qu'il fera, et pourquoi. Cela permet d'établir clairement les objectifs. Les longues explications rebutent souvent les élèves, mais il est important de les aviser de ce qu'ils sont censés apprendre au cours d'une séance de lecture partagée.

### Premier objectif

*J'ai remarqué que plusieurs d'entre vous n'ont pas une compréhension approfondie de ce qu'ils lisent. Aujourd'hui, nous allons voir que comparer et relier ce que nous savons déjà avec la nouveauté que nous découvrons dans un livre, peut nous aider à prédire ce que nous apprendrons dans ce texte. Si vous faites des prédictions sur le message d'un livre et le comparez à d'autres livres semblables que vous avez déjà lus, vous pourrez mieux comprendre et apprécier le texte. Pensez à un texte que vous avez lu et qui racontait la vie d'une personne. Ce type de texte se nomme une biographie. Quel genre d'information pensez-vous trouver dans une biographie ?*

### Deuxième objectif

*Il est parfois important de faire part d'un livre, d'un passage ou d'un poème, simplement parce que vous l'avez beaucoup aimé. En partageant le plaisir que ce texte vous a procuré, vous créez un lien entre vous et l'autre personne, vous retirez davantage du texte en le relisant, et vous en aurez une compréhension encore meilleure. Aujourd'hui, j'aimerais vous présenter un poème que je viens de lire. Ce poème est intitulé* Mon ombre *et a été écrit par Anne Hébert. Nous avons tous une ombre, mais après avoir lu ce poème, j'ai vu mon ombre d'une autre façon. De plus, j'ai envie de le lire à voix haute parce que je le trouve vraiment beau.*

### Troisième objectif

*Nous allons revenir à une page du chapitre 4, où il est question d'économie d'énergie, et nous allons relever les faits importants. Les lecteurs qui savent reconnaître les idées essentielles se rappellent plus facilement des faits importants, répondent plus facilement aux questions et comprennent mieux les intentions de l'auteur.*

### Mon ombre

*Mon ombre s'impatiente derrière moi*
*Depuis longtemps désirant prendre ma place*
*Me brûle les talons*
*Me dépasse en courant*
*Marche devant moi*
*Fait de grands signes avec les bras*
*Ameute les passants*
*Prétend qu'elle est moi*
*Et que je suis elle*
*Affirme très haut*
*Que personne ne la suit de près*
*Sur le trottoir*
*Si ce n'est une forme dérisoire*
*Dont elle ne sait que faire.*

Tiré de *Poèmes pour la main gauche,*
Anne Hébert, 1997.

## La modélisation

Nous avons déjà dit que la lecture partagée constitue une excellente approche pour étayer l'apprentissage. La modélisation est un moyen puissant et efficace de procurer cet étayage.

Si dire et expliquer correspondent au *quoi* et au *pourquoi*, la modélisation correspond au *comment*.

Lors d'une séance de lecture partagée, un enseignant peut modéliser son approche d'un nouveau texte ou l'application d'une stratégie de compréhension. L'enseignant modélise en pensant à voix haute, en faisant des prédictions ou en se posant des questions qui favorisent la réflexion.

## Modéliser l'approche d'un nouveau texte

« Les textes informatifs décrivent souvent des phénomènes naturels et les expliquent. Dans ce passage, l'auteure décrit les causes de l'érosion. Je vais utiliser ce que je viens d'apprendre et je vais l'associer à ce que j'ai vu moi-même se produire dans la nature afin d'inférer ce que peuvent être les effets de l'érosion. L'auteure parle du vent. J'imagine les dunes que j'ai vues sur la plage. Je devine que leurs formes variées changent à cause de l'érosion constante causée par le vent. Et quand l'auteure parle de l'eau, j'imagine les falaises au bord de la rivière. Je pense qu'elles ont été formées par l'eau qui a érodé la terre et a modelé les falaises. »

On peut comprendre l'importance de la modélisation en pensant à toutes les fois où on a appris concrètement à accomplir une tâche. Dans la plupart des cas, on nous a montré comment procéder : comment cuisiner, comment exécuter un exercice de yoga, ou construire une bibliothèque. Apprendre de cette façon est beaucoup plus efficace que simplement lire des instructions ou d'entendre dire comment opérer.

La modélisation utilisée dans la lecture partagée est similaire, mais avec une différence importante. Dans la lecture partagée, les enseignants modélisent ce qui se passe dans leur tête. Lorsqu'ils modélisent dans une séance de lecture partagée, ils enseignent aux élèves à employer la métacognition, en leur montrant comment ils prennent conscience de leur propre processus de pensée. Une des formes de modélisation les plus utilisées est la réflexion à voix haute.

# Penser tout haut

Dans cette stratégie d'enseignement (Pressley et Afflerbach, 1995 ; Wilhelm 2001), l'enseignant modélise des habiletés supérieures de la pensée en réfléchissant tout haut en lisant un texte. Naturellement, l'enseignant ne peut reproduire chaque pensée qui lui traverse l'esprit. Réfléchir à voix haute à des fins pédagogiques vise à en montrer juste assez pour donner à l'auditeur une idée de ce qui se produit. Tout ce qui est montré par la réflexion à voix haute doit être relié à l'objectif d'apprentissage.

Selon Wilhelm (2001, page 27), les lecteurs à l'aise comprennent automatiquement la plupart des mots et trouvent parfois difficile de réfléchir à leur construction de sens pendant la lecture. « Penser tout haut nous oblige à ralentir et à examiner notre processus de lecture. Ce moyen nous montre ce que les élèves font – ou ne font pas – en s'engageant dans le processus de lecture, et nous aide à les amener à adopter nos stratégies d'expert. »

### Explorer la structure du texte

*Je me demande pourquoi l'auteur commence son histoire par une description d'un temps orageux. Je sais que les auteurs utilisent parfois une technique qui consiste à donner des indices sur ce qui va se produire plus tard au cours de l'histoire. Je pense que l'orage menaçant est un indice donné par l'auteur, et qui annonce que des événements menaçants se préparent.*

### Étudier les mots

*Je ne comprends pas le mot «cartographie». Je ne sais pas ce qu'il signifie. J'ai déjà vu le même suffixe dans les mots* biographie *et* photographie*. Je vais utiliser ma connaissance de ces mots pour essayer de comprendre le sens de ce nouveau mot. Une biographie est l'histoire d'une vie. Une photographie est une image captée sur un film. Les deux mots signifient noter ou enregistrer quelque chose. Je pense que la racine «graphie» doit signifier enregistrer, écrire ou noter. Cette histoire parle d'un homme qui aimait les cartes. Je pense donc que le mot* cartographie *doit signifier noter ou enregistrer quelque chose sous forme de carte.*

### Comprendre un personnage

*Je me demande pourquoi le garçon est nerveux, mais je me souviens maintenant comment je me sentais la première fois où j'ai gardé un bébé. J'étais certaine de faire une gaffe, ou qu'il arriverait des ennuis au bébé. Je comprends maintenant pourquoi il est nerveux, car il est tout seul à la maison et doit prendre soin de son petit frère. Quand je peux faire un lien entre le personnage et ce qui m'est arrivé personnellement, je comprends mieux les sentiments du personnage.*

## Travailler directement sur le texte

Penser tout haut se pratique oralement, mais il existe aussi d'autres façons de modéliser. L'enseignant peut marquer le texte pour montrer aux élèves comment utiliser une stratégie, ou souligner des caractéristiques du texte. Cela se fait souvent en même temps que l'enseignant pense tout haut. L'objectif est de rendre l'enseignement explicite en offrant un modèle sous une forme écrite.

Selon le support utilisé, on peut marquer le texte:

- en utilisant un marqueur effaçable sur un transparent de rétroprojecteur;
- en plaçant un transparent vierge au-dessus d'un autre transparent avec texte;
- en utilisant des marqueurs pour annoter un texte sur une feuille de papier. Cela permet d'obtenir un modèle permanent qui peut être affiché et auquel les élèves se référeront.

Ces modélisations servent d'aide-mémoire temporaires auxquels les élèves se reportent en lisant, et facilitent grandement le transfert graduel de la responsabilité de l'apprentissage, de l'enseignant vers l'élève.

## Faire modéliser les élèves

Avec le temps, et grâce au soutien judicieux et continu, les élèves peuvent assumer le rôle de modélisation et extérioriser leur processus de pensée. À mesure qu'ils deviennent autonomes, certains vont intérioriser la modélisation, alors que d'autres auront besoin d'aides visuelles ou orales. Les élèves trouvent souvent cet exercice de réflexion plus facile à faire qu'à expliquer. Les enseignants doivent observer et encourager les élèves à pratiquer la métacognition.

## Montrer aux élèves comment modéliser

Kevin a montré aux élèves comment utiliser des phrases clés pour extérioriser leur processus de métacognition. Après avoir lui-même donné l'exemple et expliqué en quoi cette technique pouvait l'aider, il a graduellement confié cette responsabilité aux élèves, en leur signifiant son appréciation lorsqu'ils employaient eux-mêmes ces trois éléments clés : « Quand vous répondez de cette façon, vous incitez l'autre personne à échanger ses réflexions, et vous lui montrez que vous l'écoutez vraiment. » Cela a eu pour effet de changer de manière spectaculaire le type d'échanges entre les élèves. Finalement, ils étaient capables d'utiliser spontanément ce genre de phrases :

- *Quand j'ai lu cela, je me suis demandé...*
- *Je ne suis pas certain de comprendre ce passage. Je dois relire cette phrase.*
- *Je sais déjà que... et cela m'a aidé à comprendre...*
- *J'imagine... quand je lis cela.*

Quand on explique aux élèves le processus de métacognition et qu'on leur donne l'occasion de faire cet exercice par eux-mêmes dans l'ambiance rassurante d'une séance de lecture partagée, nous leur fournissons des modèles précieux qu'ils peuvent utiliser et mettre en pratique dans leur lecture personnelle.

Villaume et Brabman (2002) insistent sur le fait que même si la modélisation est une des techniques les plus explicites qu'on puisse utiliser pour enseigner une stratégie de compréhension, elle ne se suffit pas en elle-même. « Clarifier un texte dépend grandement de l'habileté de l'enseignant à susciter des échanges qui font ressortir ce que les élèves comprennent ou ce qu'ils ne comprennent pas d'un texte. » (Adapté de Villaume et Brabman, page 674.) Dans le prochain chapitre, nous décrirons quelques moyens de faciliter de tels échanges.

# Chapitre 7

# L'enrichissement des interactions par les questions et la rétroaction

## Apprendre en discutant

Nous avons déjà souligné l'importance des interactions sociales dans l'apprentissage. La discussion est une composante essentielle de la lecture partagée, puisqu'elle permet aux participants d'exprimer et d'échanger leurs idées, de profiter mutuellement de ces échanges et d'explorer de nouvelles façons de penser. Il est important de pratiquer la lecture partagée à tous les niveaux du système scolaire. La lecture partagée permet d'améliorer et d'approfondir les idées des élèves. Il existe plusieurs façons de susciter et d'alimenter une discussion. Les meilleurs moyens dont disposent les enseignants pour encourager la participation active et stimuler le processus de pensée sont les questions réfléchies, les modélisations explicites, les incitations encourageantes et une rétroaction utile. Au cours de ces discussions, les élèves développent leurs stratégies de questionnement, se font plus critiques et deviennent des lecteurs stratèges et déterminés. Dans ce chapitre, nous examinerons l'utilisation des questions et de la rétroaction dans les séances de lecture partagée.

# Poser la question...

*Isidor Rabi, physicien et gagnant d'un prix Nobel, nous a rapporté une histoire qui date de son enfance dans le ghetto juif de New York. Quand les enfants revenaient à la maison après l'école, leur mère leur demandait: «Qu'est-ce que tu as appris à l'école aujourd'hui?» Cependant, la mère d'Isidor, quant à elle, lui demandait: «Quelles bonnes questions as-tu posées aujourd'hui?» Le docteur Rabi pense qu'il est peut-être devenu physicien et a mérité le prix Nobel parce qu'il attachait plus d'importance aux questions qu'il posait, qu'aux réponses qu'il pouvait donner.*

Barell, 1988, dans Barbara J. Millis et Phillip G. Cottell, Jr, 1998, page 139.

Poser des questions est probablement la façon d'apprendre la plus commune. Le questionnement se développe à un âge précoce et constitue une stratégie essentielle dans notre tentative de nommer et de comprendre le monde, comme nous le rappelle la fameuse question «Pourquoi?» posée par tous les enfants. Avec son arrivée dans le monde scolaire, l'enfant a besoin de trouver la bonne réponse à la question posée par l'enseignant et cela empêche souvent son questionnement naturel.

Après la lecture, l'activité principale des enseignants consiste habituellement à poser des questions aux élèves. Ces questions portent souvent sur un simple rappel des faits ou de certains détails. À la fin des années 1970, les recherches maintenant bien connues de Dolores Durkin sur la compréhension ont mis en lumière l'utilisation très répandue de cette pratique pour vérifier la compréhension des élèves, de même que le caractère superficiel des questions posées.

Les questions les plus efficaces demandent aux élèves d'utiliser leurs propres connaissances et leurs idées personnelles pour répondre aux objectifs d'apprentissage. En posant des questions, les enseignants amènent les élèves à comprendre que la quête du savoir est une expérience partagée. Le choix des questions doit favoriser de nouvelles façons de penser et éveiller l'intérêt des élèves sur le sujet à l'étude. Les questions réfléchies encouragent les élèves à participer à des discussions stimulantes.

Comparez ces exemples de questions posées pour susciter une discussion:

## Exemple 1

ENSEIGNANT: Depuis quelques semaines, nous étudions l'Arctique. L'Arctique est-il un endroit où les gens peuvent vivre facilement?

UN ÉLÈVE: Non.

ENSEIGNANT: Bien. Quels sont les animaux qui vivent dans l'Arctique?

DES ÉLÈVES: Les loups, les ours polaires...

ENSEIGNANT: Y en a-t-il d'autres? Pouvez-vous me nommer d'autres animaux qui vivent dans l'Arctique?

## Exemple 2

ENSEIGNANT: Parlons des causes et des effets dans l'Arctique. Qu'est-ce qu'une cause?

UN ÉLÈVE: Une chose qui se produit et ce qui fait qu'elle se produit.

| UN ÉLÈVE : | Oui, comme la raison de quelque chose, ou ce qui la provoque. |
|---|---|
| ENSEIGNANT : | Pouvez-vous me donner quelques exemples tirés de ce texte ? Quels sont les phénomènes qui se produisent dans l'Arctique ? |
| UN ÉLÈVE : | Il fait noir toute la journée, pendant presque toute l'année. |
| UN ÉLÈVE : | Et à d'autres périodes, il fait clair durant la nuit. |
| ENSEIGNANT : | Bien. Maintenant, la longueur des jours est-elle la cause, ou l'effet d'un événement ? Quelles sont les questions que vous vous posez à ce sujet ? |
| UN ÉLÈVE : | Pourquoi les nuits sont-elles aussi longues ? Qu'est-ce qui en est la cause ? |

Dans le premier exemple, les questions fermées de l'enseignant ont entraîné des réponses que les élèves ont formulées en se rappelant et en remarquant certains faits mentionnés dans le texte. Ces réponses étaient soit bonnes, soit mauvaises, et l'échange qui s'ensuivait n'était pas vraiment une discussion. Même si cette technique peut s'avérer utile pour réviser ce qui vient d'être appris, elle n'encourage pas la réflexion personnelle. Dans le deuxième exemple, les questions posées font autant appel à la réflexion qu'au rappel. Ce genre de questions incite les élèves à s'investir dans un texte, à s'impliquer avec l'enseignant et leurs pairs et à réévaluer leurs conceptions pour mieux produire du sens à partir d'un texte.

Quand l'enseignant favorise les discussions et le dialogue, les élèves se mettent à voir et à entendre différentes façons de comprendre, et commencent à faire des liens plus approfondis avec le texte. Quand l'enseignant utilise des modèles de questions ouvertes et réfléchies, les élèves voient que des questions similaires peuvent être posées pour examiner plusieurs types de textes. De plus en plus, même les tests de lecture normalisés ne comprennent pas seulement des questions qui demandent aux élèves de se rappeler certains éléments du texte. Plusieurs questions leur demandent aussi de tirer des conclusions, de faire des inférences et des comparaisons, d'établir des liens, de résumer et d'évaluer.

## Des exemples de questions d'un examen normalisé

Dans cette histoire, certaines affirmations reposent sur des faits alors que d'autres sont des opinions. Laquelle de ces affirmations est une opinion ?

A. Les empreintes de sabots seraient des demi-cercles, séparés au milieu.

B. Le troupeau ne devait pas être très éloigné.

C. Elle mâchait rapidement sa viande.

D. Ils allaient au trot, en observant le paysage.

Comparées aux régions côtières, les terres intérieures d'un continent sont généralement exposées à :

A) plus de pluie durant toute l'année ;

B) plus de brouillard durant les mois d'été ;

C) un risque plus élevé de tornades au printemps ;

D) de plus grands écarts de températures entre l'hiver et l'été.

# Les types de questions dans une approche de lecture partagée

Dans une séance de lecture partagée, les questions ouvertes et riches de sens constituent une technique très efficace pour impliquer les élèves dans l'exploitation des textes. Poser des questions ouvertes peut sembler une chose facile, et pourtant de nombreux enseignants reviennent souvent aux questions fermées, soit par habitude, soit parce que c'est ce type de questions qu'ils ont appris à poser. Formuler des questions ouvertes demande de la pratique et devrait constituer une partie importante de la préparation d'une séance de lecture partagée. Les questions fermées demandent habituellement une réponse spécifique, alors que les questions ouvertes peuvent entraîner des discussions imprévues mais très stimulantes. Les questions qui favorisent la réflexion et entraînent des discussions devraient être élaborées lors de la préparation de la séance de lecture partagée.

## Susciter les interactions

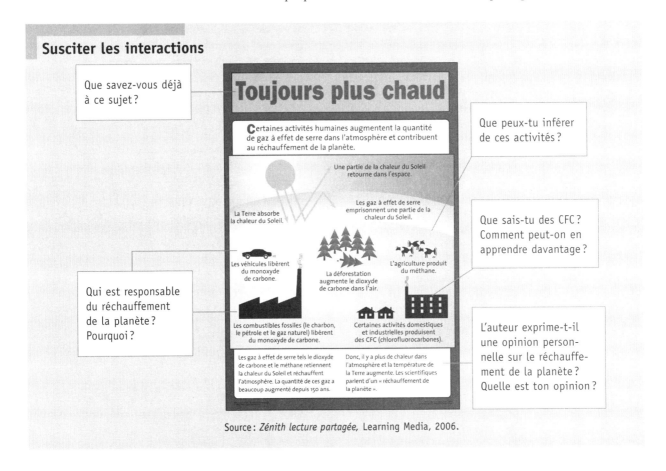

Source : *Zénith lecture partagée*, Learning Media, 2006.

## Le questionnement

En posant des questions variées et réfléchies et en utilisant de bonnes techniques de questionnement, les enseignants peuvent amener les élèves à être réellement curieux à propos d'un texte. Les élèves qui profitent de ces techniques de questionnement peuvent approfondir leur expérience de lecture et sont plus susceptibles de s'engager dans des « interactions de haute qualité » (Duke et Pearson, 2002). Les discussions amènent les élèves à mieux comprendre un texte. L'interaction leur permet de remettre en question ou de réfléchir au point de vue de l'auteur, de rechercher d'autres perspectives et de formuler leur opinion.

Les types de questions que les enseignants posent aux élèves à propos d'un texte ont un impact significatif sur leur compréhension et leur capacité à se rappeler ces textes. Quand on se limite à des questions demandant des réponses factuelles, les élèves ont tendance à se concentrer sur ces faits pendant leur lecture. Inversement, quand l'enseignant utilise un type de questionnement qui exige un certain degré d'inférence et de réflexion, les élèves sont plus portés à utiliser ces habiletés dans leur lecture autonome (Duke et Pearson, 2002). Enseigner aux élèves à formuler de bonnes questions et à y répondre les aide à construire un mode de pensée qui pourra leur servir dans d'autres situations de lecture. De plus, cela invite les élèves à se montrer créatifs en cherchant à poser des questions, au lieu de se limiter à y répondre. La lecture partagée est une approche qui offre un contexte idéal pour enseigner l'art du bon questionnement.

Ce mode de pensée s'inscrit dans le concept de métacognition décrit précédemment dans ce livre (voir page 6) : «Le processus et les stratégies de métacognition permettent au lecteur de gérer sa compréhension et d'ajuster son approche.» (Adapté de *International Association for the Evaluation of Educational Achievement*, 2000, page 26.) La métacognition n'implique pas que les élèves dressent une liste de questions de mémorisation après une lecture, mais elle consiste plutôt à les faire se poser des questions avant, pendant et après leur lecture. Les élèves s'interrogent sur ce qu'ils savent et sur ce qu'ils ont besoin de savoir pour être en mesure de modifier leur lecture et de comprendre. Le questionnement actif (à propos du texte, des intentions de l'auteur, de leurs connaissances et de celles de leurs pairs) durant le processus de lecture doit être modélisé, pratiqué et répété avec tous les élèves. Pour de nombreux lecteurs adultes, le questionnement est au cœur d'une bonne lecture : «Pourquoi l'auteur décide-t-il de procéder ainsi?», «Je me demande ce que fera ce personnage», «Quels liens puis-je faire avec ce que je sais déjà?» Les enseignants montrent et modélisent le questionnement interne se produisant chez les lecteurs aisés qui lisent et donnent du sens aux textes. C'est ce questionnement interne qui maintient la motivation et l'intérêt du lecteur pour un texte. Une bonne description de ce questionnement durant la lecture partagée amène les élèves à générer leurs questions. L'enseignant peut alors délaisser graduellement son rôle directif et transférer progressivement la responsabilité de poser des questions aux élèves.

## Tirer le meilleur profit du questionnement

Le processus consistant à formuler et à poser de bonnes questions gagne en efficacité lorsqu'il est planifié et réfléchi, mais il doit rester assez flexible pour s'ajuster aux interactions du groupe et aux réflexions des élèves. Les questions devraient se limiter à celles qui stimulent davantage la réflexion. Ce n'est pas parce que certaines questions ont été inscrites sur le plan de cours qu'elles doivent nécessairement être posées. Le déroulement de la discussion et la façon dont elle sert l'objectif devraient être les premiers facteurs à considérer. Cette flexibilité facilite l'émergence de questions de la part des élèves et favorise l'interaction.

Les suggestions suivantes peuvent guider la préparation et l'utilisation de questions durant les séances de lecture partagée.

- Préparez les questions. Elles doivent être reliées à l'objectif de la séance. Ces questions seront inscrites sur un plan de cours ou sur une copie du texte qui sera utilisé.
- Posez des questions qui requièrent des réponses descriptives, analytiques et ouvertes plutôt que de simples rappels de faits ou d'événements.
- Réagissez positivement aux questions soulevées par les élèves. Toutefois, si nécessaire, détournez leur attention des questions superficielles et encouragez-les

à formuler des questions de compréhension ou qui requièrent une meilleure concentration sur le texte ou le sujet. Posez des questions qui leur demandent un effort de clarification, et rappelez-leur l'importance de justifier leurs idées et leur raisonnement.

- Donnez suite aux réactions des élèves quand cela peut être profitable. Vous pouvez leur demander d'approfondir leur réflexion, comment ils ont eu cette idée, ou leur poser d'autres questions à la suite de leur réponse.
- Modélisez des questions et des rétroactions qui vont au-delà des simples rappels de texte et encouragez les élèves à se poser mutuellement des questions qui développent des habitudes supérieures de la pensée.
- Enseignez et encouragez le développement des habiletés d'écoute. Modélisez ce qu'est une écoute active. Vous pouvez aussi utiliser la méthode de l'aquarium, où un groupe d'élèves observent en silence les participants à une discussion et prennent des notes. Ces observateurs donnent une rétroaction constructive à la fin de la discussion, et les rôles sont inversés à la prochaine séance.
- Montrez aux élèves, en donnant des exemples, que les bonnes questions sont souvent celles qui nous amènent à poser d'autres questions.

## Les questions suscitant d'autres questions

Emma et sa classe discutaient de la phrase suivante dans une séance de lecture partagée: «Les refuges pour animaux prennent soin des animaux maltraités ou abandonnés.» Les élèves avaient de bonnes connaissances antérieures à ce sujet et avaient formulé plusieurs questions stimulantes. Emma a décidé de profiter de leur enthousiasme pour leur montrer comment les échanges de questions en groupe pouvaient inspirer de nouvelles idées et susciter d'autres questions.

EMMA: Vous aviez de nombreuses questions au sujet des soins donnés aux animaux abandonnés dans les refuges. Pendant que vous discutiez, une autre question m'est venue à l'esprit: «Pourquoi les gens maltraitent-ils les animaux ou les abandonnent-ils?» Vous voyez, vos questions m'en ont inspiré une nouvelle et ont suscité chez moi une réflexion plus approfondie. Voyons maintenant si nous pouvons formuler d'autres questions intéressantes en groupe, afin d'entraîner ou de provoquer d'autres questions importantes.

ALI: J'ai entendu parler d'une femme à qui on avait enlevé ses animaux, parce qu'elle en avait tellement qu'elle n'arrivait pas à tous les nourrir. Si elle en gardait autant, cela ne signifie-t-il pas qu'elle aimait les animaux? Pourquoi voulait-elle les affamer?

KEITH: Peut-être a-t-elle perdu son emploi, et ne pouvait plus acheter de nourriture...

EMMA: Je sais que cela est tentant d'essayer de répondre à chacune de nos questions, mais il est parfois préférable de mettre les réponses de côté et de nous demander comment une question peut en entraîner une autre. Certaines questions sont si pertinentes et intéressantes que nous voulons savourer l'étonnement qu'elles suscitent. Quelqu'un a-t-il pensé à une question qui découlerait de la dernière question posée: «Pourquoi voulait-elle les affamer?»

WALTER: Je me suis demandé si une personne pouvait s'ennuyer tellement qu'elle garderait des animaux, même si elle ne peut s'en occuper...

EMMA: Oui, et cela me fait penser à toutes les raisons pour lesquelles les gens peuvent maltraiter des animaux.

KEITH: Je ne peux pas imaginer qu'on fasse du mal à un animal, et je me demande de quelle façon les gens peuvent maltraiter des animaux...

- Allouez assez de temps aux élèves quand vous leur posez des questions ou leur demandez de formuler leurs propres questions. Donnez-leur l'occasion de discuter de leurs réponses en dyades ou en petits groupes, avant de faire part de leurs idées à toute la classe. Allouer plus de temps entraîne souvent ces résultats :

- les réponses des élèves sont plus élaborées et plus réfléchies ;
- les élèves sont plus nombreux à proposer des réponses ;
- les réponses dénotent des habiletés supérieures de la pensée ;
- les questions soulevées par les élèves sont plus nombreuses ;
- les élèves timides ou hésitants sont encouragés.

- Sachez quand le moment est venu de passer à autre chose. Les questions à propos d'un texte ne devraient pas interrompre trop longtemps le déroulement du récit, pour éviter de diluer l'intérêt ou la motivation des élèves.

- Adressez vos questions à différents élèves, mais sans le faire au hasard. Les enseignants qui connaissent bien les élèves peuvent doser le niveau et la complexité de leurs questions ou de leurs demandes selon les habiletés individuelles des élèves.

- N'hésitez pas à poser plusieurs questions au même élève. Les échanges prolongés entre l'enseignant et un élève ou entre deux élèves peuvent donner lieu à des développements intéressants. Le reste du groupe profite également de cet échange, surtout si on lui demande de commenter la discussion ou de réfléchir aux propos échangés.

## Constituer une banque de questions

À la longue, les enseignants et les élèves peuvent trouver pratique de constituer une banque de questions types pour animer les discussions lors de la lecture partagée. Ils peuvent en dresser une liste au tableau ou sur une feuille de papier, mais il est aussi important que les élèves développent et intériorisent leur «banque de questions» qui pourra stimuler leur réflexion et leur servir à différentes occasions. Cela les incite aussi à développer leur métacognition et à y faire appel lorsqu'un texte les laisse perplexes ou qu'ils veulent en approfondir le sens. Cette liste de questions ne doit pas avoir le même sens qu'une liste de vérification.

Les exemples qui suivent proposent des questions ouvertes et non spécifiques à un type de texte particulier. Les enseignants et les élèves peuvent donc les utiliser avec différents types de textes – informatifs ou narratifs – et à différentes fins. Les enseignants personnaliseront cette liste pour répondre aux besoins des élèves. Ils simplifieront des questions pour les lecteurs moins habiles, et poseront des questions plus complexes ou exigeantes aux lecteurs plus habiles. Une bonne façon d'ajuster le niveau des questions aux différents groupes de lecteurs consiste à donner un indice à chaque élève en posant la question.

Il est important de s'adapter aux différents styles d'apprentissage des élèves en leur proposant non seulement une variété de questions, mais aussi en modelant de multiples façons de répondre aux questions. Certaines questions peuvent demander aux élèves de se concentrer sur ce qu'ils observent, d'autres peuvent les inviter à faire part de leurs sentiments. Certaines questions leur demandent de synthétiser l'information provenant du texte, mais l'enseignant devrait relier ces questions à des indications spécifiques qui permettent de juger le texte. Par exemple, après avoir lu un texte avec les élèves, l'enseignant leur posera des questions individuelles ou d'évaluation telles que : «À quelles personnes s'adresse surtout ce texte ?» ou «Quel autre argument ajouterais-tu pour rendre le texte convaincant pour ceux de ton âge ?»

| | |
|---|---|
| **Expliquer**<br><br>Pourquoi... ?<br><br>Comment... ?<br><br>Comment sais-tu que cela est vrai ?<br><br>Sur quoi te bases-tu pour penser ainsi ?<br><br>Pourquoi cela s'est-il produit ?<br><br>Qu'est-ce qui te fait penser ainsi ?<br><br>Qu'est-ce qui a causé cela ?<br><br>Quelles peuvent être les conséquences ?<br><br>Qu'est-ce qui te fait penser ainsi ?<br><br>Peux-tu expliquer pourquoi ? | **Inférer**<br><br>Cela t'aide-t-il à expliquer quelque chose ?<br><br>Qu'est-ce qui pourrait être en train de se produire ?<br><br>Qu'est-ce qui a pu causer cela ?<br><br>Comment penses-tu qu'ils se sont sentis ? |
| **Généraliser**<br><br>Quel est le point commun à tous ces cas ?<br><br>Quelle indication cela nous donne-t-il à propos de... ?<br><br>Quelles conclusions peux-tu tirer ? | **Prédictions et hypothèses**<br><br>Qu'allons-nous voir ?<br><br>Qu'arriverait-il si... ?<br><br>Quelle serait la situation si... ?<br><br>Selon toi, qu'arrivera-t-il maintenant ? |
| **Classifier**<br><br>Quels sont les éléments qui vont ensemble ?<br><br>En quoi cela est-il semblable à... ?<br><br>Selon quels critères peut-on classifier ces éléments ?<br><br>Quels sont les points communs des éléments de ce groupe ?<br><br>Pouvons-nous trouver un autre exemple semblable ? | **Réaction personnelle**<br><br>Que ferais-je si j'étais dans cette situation ?<br><br>Quelles sont mes opinions à ce sujet ?<br><br>Comment me sentirais-je si ... ?<br><br>Que pourrais-je espérer ?<br><br>Cela pourrait-il m'arriver ? |
| **Clarifier**<br><br>Pourquoi suis-je confus ?<br><br>Qu'est-ce qui m'a fait penser à cela ?<br><br>Que voulait dire l'auteur en utilisant ces termes ?<br><br>Où puis-je trouver d'autres renseignements ? | **Analyser**<br><br>En quoi la mise en pages aide-t-elle le lecteur ?<br><br>Comment le titre fait-il le lien avec l'histoire ?<br><br>Qu'est-ce qui attire d'abord mon attention ? Pourquoi ? |
| **Décrire**<br><br>À quoi cela ressemble-t-il ?<br><br>Que vois-tu ?<br><br>Qu'as-tu remarqué ?<br><br>Comment décrirais-tu... ? | **Évaluer**<br><br>Pour quelles raisons est-ce arrivé ?<br><br>Comment cela peut-il être amélioré ?<br><br>Comment peux-tu justifier cela ?<br><br>Est-ce la meilleure façon de...<br><br>Qu'est-ce que l'auteur voulait que je comprenne ?... que je me rappelle ?... que j'apprenne ?<br><br>Quel est le message le plus important de ce texte ? |

Offrir le choix entre différents types de réponses encourage chaque élève à participer à la discussion et à s'investir personnellement dans la compréhension du texte. Voici quelques moyens d'encourager les élèves à varier leurs réponses :

- réfléchir, échanger et discuter avec ses pairs ;
- parler tout bas avec son voisin ;

- lever le pouce pour indiquer son accord et le baisser pour indiquer son désaccord ;
- garder sa question ou sa réponse en tête et se demander quelle est la meilleure façon de la formuler ;
- prendre des notes dans un journal de lecture ;
- faire des croquis de leurs pensées ;
- tenir des «réunions» de deux minutes après chaque période de 10 minutes de modélisation par l'enseignant ou de discussion en classe. Cette stratégie, spécialement mise au point pour les élèves qui étudient dans une langue seconde, leur donne l'occasion de traiter plus d'information (Bechtel, 2000).

# Des discussions accessibles à tous

De nombreux élèves, surtout au cycle moyen, n'ont jamais appris à participer activement à leur lecture et à s'investir dans un texte. Les causes de ces manques sont souvent complexes. Par exemple, les exigences de mémorisation peuvent avoir rebuté ou ennuyé certains élèves à un point tel qu'ils ont perdu depuis longtemps tout espoir de comprendre les textes ou d'apprécier leur lecture. Cela peut être particulièrement vrai dans le cas d'élèves éprouvant des difficultés ou mal disposés. Ces difficultés peuvent aussi être d'ordre linguistique ou culturel et ne pas avoir été prises en compte dans l'enseignement.

Une autre raison du manque de participation peut être la nature des tâches de lecture demandées aux élèves qui maîtrisent mal le français. Ceux qui étudient en langue seconde se voient souvent imposer des tâches qui n'aboutissent pas à une discussion stimulante. Un enseignement qui met l'accent sur les caractéristiques superficielles (une prononciation correcte, par exemple) offre peu d'occasions d'exprimer et d'échanger des idées, et de développer des habiletés supérieures de pensée.

Il est très important que la rétroaction et les questions de l'enseignant soient appropriées aux besoins, aux cultures et aux expériences des élèves. Les questions et la rétroaction de l'enseignant doivent inciter les élèves à apprendre et à valoriser la lecture autonome et à lui donner du sens. Le support (de l'enseignant et des pairs) offert dans la lecture partagée en fait un excellent choix de stratégie pédagogique. En choisissant des textes appropriés et en préparant soigneusement les discussions, un enseignant peut prendre en compte les besoins de nombreux apprenants lors d'une séance de lecture partagée.

## Encourager la participation active

Les techniques à utiliser pour encourager les apprenants en langue seconde à participer activement comprennent :

- Allouer suffisamment de temps après avoir demandé quelque chose ou posé une question.
- Donner l'occasion de formuler et de peaufiner leurs commentaires avec un camarade avant d'en faire part à toute la classe.
- Poser des questions qui interpellent directement leurs expériences personnelles et culturelles.
- Choisir les interventions visant à corriger leur langage parlé en langue seconde (mettre l'accent sur le contenu et les idées, non sur la présentation).
- Encourager et valoriser la prise de risques pendant les discussions en classe.
- Utiliser des supports, comme des organisateurs graphiques, pour montrer comment on peut organiser et structurer sa pensée afin de la rendre plus claire (les élèves devraient disposer du matériel nécessaire durant les discussions).

# La rétroaction

Lors d'une séance de lecture partagée, les questions réfléchies ne sont qu'une composante d'une discussion stimulante. En réagissant à ces questions, les participants peuvent soumettre des réponses pour expliquer, prédire, suggérer, clarifier. Ce qui se produit par la suite est tout aussi important que le questionnement lui-même. Les réactions de l'enseignant aux initiatives des élèves contribuent tout autant à orienter et à rehausser l'apprentissage dans une séance de lecture partagée. Une bonne rétroaction exige davantage que simplement réagir aux réponses des élèves ou à leurs interventions lors d'une discussion.

Il faut reconnaître et valider leurs tentatives d'explorer de nouvelles idées ou d'essayer de nouvelles stratégies, modéliser pour eux le processus de lecture et d'écriture, les aider à trouver d'autres approches pour examiner une question et les inviter à devenir responsables de leur apprentissage. Une bonne rétroaction donne un puissant levier pour motiver les élèves et favoriser leur apprentissage.

*L'objectif premier de la rétroaction n'est pas d'indiquer aux élèves s'ils ont raison ou s'ils ont tort, mais bien de les faire réfléchir aux stratégies qu'ils utilisent quand ils lisent et écrivent, et les inviter à se pencher sur leur apprentissage. La rétroaction suppose que l'on montre aux apprenants en quelles circonstances et à quels moments ils doivent utiliser leurs connaissances et leurs stratégies. Une rétroaction efficace offre aux élèves des modèles de réflexions pour la lecture et l'écriture.*

Adapté de *Learning Media*, 2003, page 84.

La rétroaction donnée pendant la lecture partagée est une forme d'étayage et doit donc être reliée à l'objectif. La rétroaction doit accroître le contrôle des élèves sur leur propre apprentissage. Si on se contente de les complimenter pour leurs efforts, on ne leur en transmet pas beaucoup sur eux-mêmes en tant qu'apprenants, bien que cela puisse (à court terme) augmenter leur estime personnelle. Une rétroaction efficace jette un regard honnête et constructif sur la performance des élèves, ce qui constitue une forme d'encouragement beaucoup plus significatif. Les rétroactions spécifiques doivent faire comprendre aux élèves *pourquoi* ils ont bien réussi à faire quelque chose. En parlant ouvertement des stratégies ou des procédés qu'ils ont utilisés, on incite les élèves à faire preuve de métacognition, c'est-à-dire à réfléchir sur leur processus cognitif et à gérer leur apprentissage. Cela contribue également à rehausser leur estime personnelle.

## Des exemples de rétroactions spécifiques

*Voilà un commentaire intéressant. Je me demande à quoi tu pensais en lisant ce passage. Peux-tu nous en dire davantage ?*

*J'aime bien les liens que tu fais avec l'histoire que nous avons lue la semaine dernière. Tu nous as montré que cela nous aidait à mieux comprendre cette histoire. Merci !*

*Très bien ! Tu réfléchis à ce que tu fais quand tu lis une phrase difficile, afin de pouvoir produire du sens en lisant.*

*D'accord. Alors, quand tu dis que « les scientifiques ne peuvent expliquer comment cela a pu se produire », que veux-tu dire exactement ? Quels mots dans le texte t'indiquent qu'ils ne peuvent pas l'expliquer ?*

Quand l'enseignant donne sa rétroaction et l'explique clairement aux élèves, il les aide à faire de même entre eux. Au début, il peut être nécessaire de modéliser avec des phrases types afin de fournir aux élèves le langage d'une rétroaction efficace.

## Le langage d'une rétroaction efficace

- *J'aime la façon dont tu...*
- *Je n'avais pas vu les choses de cette façon...*
- *Peut-être pourrais-tu essayer de...*
- *Cela aurait été encore mieux si tu avais...*

Il convient de diminuer graduellement l'utilisation de ces supports afin que les élèves apprennent à exprimer eux-mêmes une rétroaction spontanée et pertinente.

Un des effets les plus concrets d'une bonne rétroaction est de motiver les élèves à apprendre davantage. Un simple compliment (Beau travail!) peut, en fait, encourager l'élève à rester à son niveau, à employer le même vocabulaire, les mêmes réactions ou les mêmes stratégies d'une situation à l'autre. Pour qu'une rétroaction pousse l'élève à réfléchir à son apprentissage, elle doit l'inciter à se demander: «Quelle stratégie ai-je utilisée pour m'aider à mieux comprendre?» «Que puis-je faire pour apprendre davantage?» «Comment puis-je réussir encore mieux?»

## Inciter à la réflexion

Voici quelques exemples d'incitation à réfléchir:

- *Je n'avais pas vu les choses de la même façon. Cela ajoute à mes réflexions!*
- *Comment as-tu eu cette idée? Qu'est-ce qui t'a fait penser à cela?*
- *Dis-nous-en un peu plus à ce sujet...*
- *J'apprécie que tu essaies quelque chose de nouveau. Que peux-tu essayer d'autre pour trouver le sens de ce mot?*
- *Peux-tu nous décrire cela de manière plus détaillée?*
- *En quoi ta réponse a-t-elle un lien avec l'objectif que nous avons aujourd'hui?*

Les enseignants qui veulent donner une rétroaction significative s'assureront de suivre ces règles simples:

- leurs commentaires doivent aider les élèves à devenir plus conscients de leur propre apprentissage;
- leurs commentaires doivent rappeler aux élèves l'objectif de la séance.

# Chapitre 8

# Les compétences en littératie et la compréhension d'un texte

## Les compétences des lecteurs habiles

Les lecteurs habiles ont acquis des compétences qui les aident à construire du sens :

- Ils lisent avec fluidité, donc rapidement et aisément, et reconnaissent instantanément de plus en plus de mots. Sans ces habiletés, la lecture est impossible ou se fait lettre par lettre, à un rythme si lent que le lecteur est incapable de construire le sens pendant la lecture. La fluidité se rapporte aussi au déroulement de la lecture. Les lecteurs qui décodent et comprennent bien ce qu'ils lisent maintiennent un bon rythme de lecture, et leur expressivité et leur intonation sont appropriées. Au cours des premières années du primaire, la lecture partagée est souvent pratiquée pour améliorer la fluidité et le décodage. Elle est efficace à tous les niveaux pour modéliser une lecture faite avec aisance et expression.

- Ils s'appuient sur un vocabulaire bien développé. Des recherches ont démontré que l'apprentissage d'une grande partie du vocabulaire se fait naturellement, mais que les personnes possédant un vocabulaire plus étoffé sont de meilleurs lecteurs que celles ayant un vocabulaire limité (Graves et Watts-Taffe, 2002). On reconnaît également que l'enseignement direct du vocabulaire améliore la compréhension (Pressley, 2002). Au cours de ce chapitre, on examinera le rôle joué par la lecture partagée dans l'enseignement du vocabulaire.

- Ils rapprochent leurs connaissances du monde extérieur et ce qu'ils lisent. Ces connaissances, et l'habileté à les relier au texte lu, influent sur la capacité de compréhension. Moustafa (1997) cite plusieurs expériences menées au cours des années 1970, qui ont démontré que les enfants possédant des connaissances antérieures sur un sujet répondaient mieux aux questions après leur lecture d'un texte concernant ce sujet, que ceux qui n'en avaient aucune connaissance. Au cours de ce chapitre, on étudiera les façons dont ces connaissances antérieures peuvent être activées, renforcées et développées au moyen de la lecture partagée.

- Ils utilisent un éventail de stratégies de compréhension. La maîtrise et l'utilisation de ces stratégies sont essentielles à la compréhension. Dans le chapitre 9, on examinera ces stratégies de compréhension et des façons de les enseigner et de les illustrer au moyen de la lecture partagée.
- Ils sont conscients des pertes de compréhension lorsqu'elles se produisent, et essaient d'y remédier. Chez les bons lecteurs, ce comportement est spontané. Gérer sa compréhension, relire pour mieux saisir le sens des mots ou des structures plus complexes et demander des clarifications sont des stratégies de lecture qui peuvent s'enseigner grâce à la lecture partagée.
- Ils explorent des textes variés en poursuivant différents objectifs. L'accès à une variété de textes contribue à enrichir le vocabulaire de l'élève et ses connaissances du monde extérieur, et le familiarise avec les particularités des différents types d'écrits. Dans la lecture partagée, l'enseignant utilise un grand choix de textes et poursuit plusieurs objectifs tout en permettant cet accès aux élèves. Les textes sélectionnés doivent être de bonne qualité et convenir aux objectifs de la séance de lecture partagée.
- Ils intègrent l'information écrite et non écrite. Dans les textes informatifs qui sont parfois plus complexes, l'information donnée par les éléments visuels doit être comprise et intégrée dans l'interprétation globale du texte. En modélisant ce processus pendant la lecture partagée, l'enseignant donne aux élèves l'occasion d'apprendre et de pratiquer eux-mêmes différentes stratégies pour intégrer l'information sous toutes ses formes.

Au cours de ce chapitre, on examinera l'enseignement de deux compétences favorisant la compréhension dans un contexte de lecture partagée. Ces compétences sont l'enrichissement du vocabulaire (l'étude des mots) et l'utilisation des connaissances antérieures.

## L'étude des mots

L'étude des mots permet aux élèves de reconnaître instantanément les mots courants et d'utiliser des stratégies pour découvrir le sens des mots inconnus. De nombreuses études ont documenté les rapprochements existant entre un vocabulaire limité et une lecture laborieuse et déficiente. Graves et Watts-Taffe concluent que «la tâche d'acquisition du vocabulaire est énorme […] les élèves apprennent environ 3 000 à 4 000 mots chaque année, acquièrent un vocabulaire de lecture d'environ 25 000 mots avant la fin du cours primaire, et d'environ 50 000 mots avant la fin de leurs études secondaires» (Graves et Watts-Taffe, 2002, page 142).

Les élèves saisissent le sens de nombreux mots nouveaux par le simple fait de lire ou de se faire lire un texte. C'est un processus d'acquisition spontané. Ces acquisitions se produisent souvent sans enseignement explicite (Swanborn et De Glopper, 1999). Toutefois, lorsqu'elles font l'objet d'un enseignement explicite, ces acquisitions augmentent de façon spectaculaire. En 1989, les recherches de Elley indiquent que le taux d'acquisition du nouveau vocabulaire augmente de 40 % lorsque l'enseignant donne des explications claires et précises en lisant des histoires à voix haute.

Les élèves qui parlent difficilement la langue d'enseignement ou ceux qui éprouvent des difficultés avec la fluidité, la compréhension ou l'écriture requièrent un enseignement qui enrichit le vocabulaire et la connaissance de la langue. Les mots sur lesquels l'enseignant met l'accent doivent avoir une certaine signification pour les élèves, et l'enseignement est plus productif lorsque ces mots sont employés dans différents contextes significatifs.

La lecture partagée offre aux enseignants plusieurs options pour enrichir le vocabulaire des élèves et améliorer leurs connaissances des structures de la langue. En voici quelques exemples.

## La modélisation de la lecture orale

L'enseignant peut modéliser une bonne lecture orale en demandant aux élèves de suivre le texte des yeux, et leur apprendre la prononciation des mots nouveaux. Le simple fait d'entendre un mot lu à voix haute tout en le voyant dans le texte donne souvent une référence dont l'élève pourra se servir quand il rencontrera ce mot dans un autre contexte.

## L'explication des mots nouveaux

L'enseignant peut faire des pauses dans sa lecture pour expliquer les mots nouveaux.

### Les mots nouveaux

Dans cet exemple, les mots nouveaux nécessitant une explication peuvent être :

- sextant (en utilisant les indications du texte) ;
- dix-septième siècle ;
- angle ;
- tables de navigation ;
- opération ;
- position.

*Depuis le dix-septième siècle, les marins peuvent déterminer leur direction à l'aide d'un sextant. Le sextant permet de mesurer l'angle que le Soleil, la Lune et certaines étoiles forment avec la ligne d'horizon. Quand on connaît également l'heure et la date, il est possible de déterminer sa position exacte à l'aide de quelques opérations mathématiques et de tables de navigation.*

Adapté de *Finding your Way*,
John Bonallack, 2000.

Dans un court passage, il n'est toutefois pas conseillé d'expliquer tous les nouveaux mots, sauf si l'objectif de la séance est l'étude d'un vocabulaire spécialisé. En fait, le lecteur peut comprendre un texte sans en connaître tous les mots. Les mots importants pour la construction de sens, les termes clés du sujet ou ceux qui échappent à la compréhension des élèves peuvent être expliqués si le contexte ne donne pas assez d'indications. Si un texte comprend un trop grand nombre de termes nouveaux pour les élèves, il est peut-être trop difficile pour eux.

## Souligner les mots peu familiers

L'enseignant soulignera certains mots pour montrer aux élèves comment comprendre le sens des mots peu familiers à l'aide du contexte. De nombreux mots à plusieurs syllabes seront étudiés en soulignant leurs racines, leurs préfixes et leurs suffixes, ou en comparant ces mots avec d'autres de la même famille. Il vaut la peine de montrer aux élèves qu'ils peuvent comprendre un texte en utilisant cette stratégie afin de l'appliquer dans leur lecture. Soulignez les mots possiblement difficiles avant le début de la séance de lecture partagée. Après la lecture, revenez aux mots soulignés et, avec les élèves, servez-vous du contexte, de l'étymologie ou de la syntaxe pour les comprendre.

## L'étude des mots

*L'instabilité est mauvaise pour les enfants, et changer d'école fréquemment peut être une forme d'instabilité...*

Jeannie voulait faire comprendre à sa classe de cinquième année que le mot *instabilité* peut être associé aux enfants qui changent fréquemment d'école. Même si plusieurs élèves établissaient des liens avec ce sujet, elle pensait que ce mot en embêterait quelques-uns. Elle a souligné le mot et a marqué une pause en le lisant.

*Je pense que plusieurs d'entre vous ne sauront pas ce que signifie ce mot dans ce contexte, mais je vous demande pour l'instant de le retenir et de continuer la lecture de l'article.*

Plus tard, Jeannie est revenue à ce mot comme promis et elle a utilisé une approche indirecte afin d'établir des liens avec ce concept.

*Nous avons déjà entendu parler de choses et même de personnes qui étaient instables. Pouvez-vous me donner quelques exemples ?*

– *Oui, on peut dire qu'un édifice est instable. On peut aussi le dire d'une région où il y a beaucoup de tremblements de terre. Et nous disons parfois qu'une personne est instable. Pouvez-vous deviner ce que signifie le mot instable ?*

– *C'est une bonne idée de diviser le mot en ses différentes parties pour mieux en saisir le sens. Le préfixe « in » exprime généralement une négation. Nous pouvons donc dire qu'une chose instable n'est pas stable.*

*Revenons maintenant au mot que nous lisons dans le texte : instabilité. Servons-nous de ce que nous savons du mot instable, et revenons à la première phrase de cet article. Comment les deux idées sont-elles associées ?*

– *Exactement ! Il est très important pour les enfants d'avoir un foyer stable. Avoir une famille sur laquelle on peut compter et une vie régulière sont des facteurs de stabilité. Alors, qu'est-ce que l'instabilité ?*

– *Oui, c'est très bien de faire ces liens avec le texte. L'instabilité peut signifier changer d'école souvent. Alors, que signifie* instabilité, *selon vous ? Et pourquoi cela serait-il mauvais pour les enfants ?*

Adapté de *Time for Kids*, 19 septembre 2003, vol. 9, n° 2.

## L'enseignement du vocabulaire spécialisé

Le vocabulaire spécifique d'un type de texte ou de sujet peut faire l'objet d'un enseignement explicite. Les enseignants qui abordent des domaines spécifiques peuvent utiliser cette stratégie pour s'assurer que les élèves comprennent le vocabulaire spécialisé, avant de leur demander de lire et d'utiliser des renseignements. La lecture partagée est un moyen efficace d'enseigner le vocabulaire spécialisé, car l'enseignant peut donner des définitions ou des explications dans un contexte qui aide les élèves à comprendre les mots et leurs applications. Cet exercice peut se faire séparément, mais l'enseignement est plus efficace quand il est associé à la lecture partagée d'un texte comprenant un vocabulaire spécialisé. Comme activité de suivi, l'enseignant écrira au tableau une liste de termes spécifiques d'un sujet, à laquelle les élèves pourront se référer lorsqu'ils devront employer ces mots dans leurs productions écrites. Assurez-vous que les élèves auront plusieurs occasions d'employer ces mots dans d'autres situations d'apprentissage.

> *L'argile que nous utilisons dans la poterie vient surtout du granit – une des roches les plus dures au monde. Le granit s'est formé il y a des millions d'années, lorsque des minéraux en fusion et extrêmement chauds sont restés profondément enfouis sous l'écorce terrestre. Alors que ces roches fondues refroidissaient lentement, des minéraux comme le quartz et le feldspath se sont formés dans la roche cristalline que nous appelons le granit.*
>
> Adapté de *From Rock to Rock*,
> Jane Thompson, 2000.

Cet extrait tiré d'un ouvrage sur la formation des volcans est un exemple de texte à utiliser en lecture partagée pour déterminer de nouveaux mots et en discuter. Les termes et leurs définitions peuvent être notés et affichés. Montrer aux élèves comment parcourir un texte pour y trouver des mots nouveaux peut les inciter à activer leurs connaissances antérieures, à consulter l'index ou le glossaire, ou à demander de l'aide afin de mieux comprendre ce texte.

## Les jeux de mots

Les jeux de mots comme les plaisanteries ou les calembours peuvent faire l'objet de plusieurs séances de lecture partagée. C'est une façon efficace d'éveiller les élèves à la «conscience des mots» (Graves et Watts-Taffe, 2002) et, à cette occasion, de les inciter à faire appel à la métacognition dans leur choix de mots et leur construction de sens. La lecture partagée permet à l'enseignant de présenter un sujet d'étude à toute la classe, et de donner ensuite aux élèves l'occasion d'approfondir leurs idées, individuellement ou réunis en petits groupes.

### L'étude des mots

Quelle que soit la forme du texte, l'auteur doit bien choisir ses mots afin de rendre son texte plus intéressant et plus agréable à lire. Aujourd'hui nous verrons de quelle façon un auteur choisit les mots pour créer des images et de l'humour dans un texte. Lorsque nous faisons un bon choix de mots, nous pouvons réussir à créer des images sollicitant tous les sens du lecteur : la vue, l'ouïe, l'odorat, le goût et le toucher.

Source : *Publicités pour les animaux*, J. Eggleton, 2003, pages 10 et 11.

Nous allons maintenant travailler en petits groupes pour rédiger des annonces publicitaires humoristiques. Il faudra bien choisir les détails et les mots évocateurs pour créer des images vivantes chez le lecteur.

# Les connaissances antérieures :
# plus tu en sais, plus tu peux en apprendre

> *Nous nous sommes mis à jouer et nous avons tout enregistré sur un vieux huit pistes. Nous avons ensuite réécouté le tout et avons modifié les meilleures parties à l'aide d'un échantillonneur ; c'est ainsi que nous avons produit ces pièces, sur six des huit pistes. Avec les deux autres pistes, nous avons utilisé un séquenceur avant de les terminer comme les six premières. Ken a fouillé dans sa banque de sons pour trouver le meilleur effet, et j'ai ajouté de mon côté quelques extraits provenant d'autres bandes originales. Plus nous avancions dans la création, et plus le résultat nous plaisait.*

Cet extrait provient d'une entrevue non publiée dans laquelle deux musiciens de rock parlaient de la création de leur dernier album. Le texte est assez facile à comprendre si on a une certaine connaissance de la musique rock, mais pour une personne qui n'y connaît rien, il peut s'avérer en partie incompréhensible. Par contre, si on connaît le sens des mots *séquence*, *échantillon* et *piste*, pour les avoir lus dans d'autres contextes, la production de sens sera facilitée.

Le bagage de connaissances que les élèves apportent dans leur lecture influe directement sur leur compréhension. Quand les enseignants présentent des sujets ou des concepts à propos desquels les élèves ont peu ou pas de connaissances antérieures et qu'ils ne peuvent les lier à des expériences personnelles, ils doivent bâtir des rapprochements pour aider les élèves à associer ce qu'ils connaissent et ce qui leur est inconnu. Autrement dit, les enseignants doivent partir de ce qui est familier aux élèves, afin de les aider à découvrir et à comprendre de nouvelles choses.

## L'activation des connaissances antérieures

L'objectif des séances de lecture partagée, qu'on définit parfois comme l'activation des connaissances antérieures, amène les élèves à s'appuyer sur leurs connaissances antérieures et leurs expériences pour saisir le sens des textes qui leur sembleraient autrement difficiles à comprendre. Les élèves possèdent parfois des connaissances et des expériences dans certains domaines, et ils peuvent explorer et élucider ces connaissances pour découvrir ces liens. La recherche des rapprochements doit être valorisée et encouragée, car les élèves peuvent aussi se satisfaire d'une compréhension superficielle, sans réaliser ou se soucier des significations approfondies qu'un texte permet d'explorer.

Dans l'exemple qui suit, Kathleen savait que la plupart des élèves n'avaient aucune expérience directe des températures glaciales. Ils avaient presque tous grandi près de la frontière entre la Californie et le Mexique, où il fait chaud durant toute l'année. Comme elle devait leur présenter un texte sur l'Antarctique dans le cadre de son cours de géographie, elle a consacré une période à examiner le texte avec les élèves afin de les aider à déterminer les mots et les idées avec lesquels ils pouvaient faire des liens. Notez qu'elle a commencé par leur expliquer la raison pour laquelle elle agissait ainsi.

## Les rapprochements

**KATHLEEN :** Comme vous le savez, nous avons commencé à étudier un livre sur l'Antarctique dans notre cours de géographie. Comme certains de ces textes sont tout à fait nouveaux pour vous, je veux vous montrer comment utiliser ce que vous connaissez déjà pour résoudre les problèmes qui se présentent. J'ai fait des transparents d'extraits du livre, que je vous ai lus hier, et nous allons les examiner de près. Pour commencer, lisons ensemble ce début de chapitre où il est question de température.

*(Kathleen lit la page qui apparaît sur le transparent du rétroprojecteur.)*

Pouvez-vous me dire ce que vous avez compris de ce texte, en vous basant sur vos connaissances et expériences actuelles ?

**JOSE :** La température reste sous zéro. Même en été, elle ne s'élève pas beaucoup au-dessus du point de congélation.

**MARIA :** Si on met de l'eau chaude dehors, elle va geler.

**KATHLEEN :** Pouvez-vous me décrire ce qui se produit ?

*Les élèves discutent des températures froides, en se basant surtout sur leurs expériences avec un congélateur. Kathleen relit la page, en faisant des pauses pour vérifier leur compréhension.*

**KATHLEEN :** « [...] le métal colle à la chair nue ». Qu'est-ce que cela peut signifier ?

**JOSE :** Le métal colle à la peau.

**KATHLEEN :** Pourquoi dit-on que la chair est nue ?

**JOSE :** Parce qu'il n'y a rien qui la recouvre, aucun vêtement.

**CARMEL :** Cela me fait penser que lorsque je veux prendre de la glace ou autre chose dans le congélateur, cela colle souvent aux doigts. Mais ce n'est pas du métal...

**KATHLEEN :** Très bien ! Tu sais donc quelle impression cela fait d'avoir un objet très froid qui colle à ta peau. Je pense que vous avez tous fait cette expérience, n'est-ce pas ? Cela nous aide à comprendre.

**KATHLEEN :** « ...les plombages peuvent se décoller des dents ». Que peuvent être ces plombages ?

**CARLOS :** Des petits morceaux de métal.

**KATHLEEN :** Quels sont ceux qui connaissaient ce mot ? Et pourquoi les plombages se décollent-ils ?

## L'intégration des nouvelles connaissances

La façon la plus directe de connaître une nouveauté est de l'expérimenter : visiter un parc thématique, organiser une fête ou faire une randonnée en forêt, par exemple. Toutefois, ce genre d'expériences n'est pas toujours possible. Nous pouvons également offrir des occasions d'apprendre en lisant des livres, en regardant des émissions de télévision ou des vidéos, et en proposant d'autres activités réalisables en classe.

## Enseigner en utilisant le savoir des élèves

Cette approche se différencie par l'enseignement explicite de l'emploi de ses connaissances antérieures et de ses expériences pour bâtir une stratégie de compréhension. Les élèves ne se rendent pas toujours compte de l'importance de rapprocher les nouvelles connaissances de leurs connaissances antérieures, surtout dans les différentes matières présentées dans le programme d'études. L'activation de leurs connaissances antérieures, ou les rapprochements entre le connu et l'inconnu, aide les élèves à comprendre et à se rappeler ce qu'ils lisent. Les élèves ne manquent pas de connaissances valables; toutefois, ils ne sont pas habitués à utiliser ce qu'ils savent déjà pour apprendre autre chose. Quand les enseignants modélisent cette utilisation des connaissances antérieures pendant la lecture d'un texte nouveau, les élèves apprennent à valoriser et à exprimer les rapprochements qu'ils peuvent faire eux-mêmes. La lecture partagée permet à l'enseignant de modéliser et de montrer cette importante stratégie de compréhension.

# Chapitre 9

# L'enseignement des stratégies de compréhension en lecture

## Les stratégies de compréhension

*Les stratégies de compréhension sont des techniques enseignées dans le but de faciliter une lecture active et efficace. Elles favorisent la gestion de la compréhension et maintient l'intention de la lecture. L'enseignement explicite des stratégies de compréhension se fait par des démonstrations, des modélisations, et en guidant les élèves pendant la lecture d'un texte.*

Adapté de Trabasso et Bouchard, dans Block et Oressley, 2002, page 177.

Dans ce chapitre, on propose un cadre de travail pour l'enseignement explicite des stratégies de compréhension, et on démontre le rôle de la lecture partagée dans l'enseignement de ces stratégies. Il convient ici de faire une mise en garde importante. Un enseignement efficace ne peut se comparer à une formule ou à une recette qu'il suffit de reproduire. Dans la démarche proposée par cet ouvrage, on considère la lecture partagée comme un ensemble de stratégies et d'approches pédagogiques qui prennent place dans un contexte d'interactions signifiantes, pertinentes et agréables. L'enseignant ne doit pas voir de cloisonnement rigide entre les différentes étapes indiquées ci-dessous, mais se fonder sur la connaissance qu'il a des élèves, sur son expérience en enseignement de la littératie, sur les textes utilisés et les objectifs établis, afin de rendre la lecture aussi intéressante et enrichissante que possible.

## Le cadre de travail

L'enseignement explicite donne de bons résultats s'il est précédé d'une évaluation et d'une bonne préparation, et comporte des explications, des modélisations ainsi que des occasions de le mettre en pratique. Le cadre de travail décrit ici reprend certains éléments présentés par de nombreux chercheurs comme les étapes de l'enseignement des stratégies (Pearson et Gallagher, 2003 ; Dowhower, 1999 ; Harvey et Goudvis, 2000 ; Duke et Pearson, 2002). Comme le rappellent Duke et Pearson, « […] pour favoriser efficacement la compréhension, il faut à la fois un enseignement explicite des stratégies de compréhension, et beaucoup de temps et d'occasions de pratiquer la lecture, l'écriture et les interactions au sujet d'un texte » (page 207). L'article de Dowhower (1999) sur l'enseignement des stratégies rappelle que les élèves développent une approche stratégique dans leur lecture lorsqu'ils profitent d'un enseignement explicite et sont encouragés à maîtriser eux-mêmes les stratégies qu'ils ont apprises. Le cadre suivant illustre ce processus, et indique le rôle de la lecture partagée dans cette approche.

## Les étapes du processus

Ce processus d'enseignement et d'apprentissage[1] comprend six étapes :

1. **L'explication :** L'enseignant définit la stratégie qu'il va enseigner. Il explique l'utilité de la stratégie en démontrant comment elle peut répondre aux besoins des élèves dans le contexte de lecture en cours.
2. **La modélisation :** L'enseignant modélise la stratégie, par exemple en réfléchissant à voix haute et en montrant comment il procède pour utiliser la stratégie. Il formule les étapes de la démarche pour les élèves.
3. **La pratique guidée :** L'enseignant guide les élèves et les aide à appliquer eux-mêmes la stratégie enseignée.
4. **La démonstration par les élèves :** Les élèves montrent de quelle façon ils peuvent mettre en pratique la stratégie, individuellement ou en petits groupes.
5. **La pratique autonome :** Les élèves mettent en pratique la stratégie sans aide ni suggestions.
6. **L'intégration :** Les élèves intériorisent la stratégie et l'intègrent aux autres techniques apprises pour construire du sens à partir des textes.

Cette séquence n'implique pas que chaque étape ne soit pratiquée qu'une seule fois. L'enseignant doit parfois modéliser une stratégie à plusieurs reprises avec différents textes, et certains élèves ont besoin de plus d'aide que d'autres.

Dans le tableau 9.1, les zones foncées indiquent de quelle façon ces étapes d'apprentissage d'une nouvelle stratégie peuvent s'insérer dans un programme de littératie équilibré offrant de nombreuses occasions d'enseigner et de pratiquer.

Ce cadre de travail permet d'utiliser ces approches pédagogiques :

- enseignement à toute la classe (lecture à voix haute, lecture partagée, minileçons) ;
- travail en petits groupes et assistance de l'enseignant (lecture guidée, lecture partagée) ;
- enseignement réciproque ou apprentissage coopératif en petits groupes (clubs du livre, lecture à deux, cercles de lecture) ;
- activités individuelles ou devoirs ;
- lecture autonome pour le plaisir, la recherche ou autre.

---

1. Adapté de Duke, N. K. et P. D. Pearson, 2002. « Effective practices for developing reading comprehension », dans E. Farstrup et S. Jay Samuels, *What Research Has to Say about Reading Instruction*, 3e édition, p. 205-242.

| Tableau 9.1 | Le cadre de travail pour l'enseignement des stratégies | | | | | |
|---|---|---|---|---|---|---|
| | Explication | Modélisation | Pratique guidée | Démonstration par les élèves | Pratique autonome | Intégration |
| **Lecture à voix haute** | | | | | | |
| **Lecture partagée** | | | | | | |
| **Lecture guidée (avec l'enseignant)** | | | | | | |
| **Tâches en littératie et pratique coopérative** | | | | | | |
| **Lecture autonome** | | | | | | |

L'intégration des matières comme les mathématiques, les sciences physiques ou les sciences humaines offre de nombreuses occasions de consolider l'apprentissage. L'enseignant peut diminuer progressivement son aide selon la difficulté des tâches et les besoins des élèves. Il peut se montrer flexible et enseigner les stratégies dans des contextes de lecture authentique, et non comme si la stratégie était une fin en soi.

L'exemple suivant illustre de quelle façon un enseignant peut utiliser une variété de textes pour présenter une stratégie de compréhension spécifique (faire des inférences) en utilisant le cadre de travail défini plus haut.

# L'enseignement d'une stratégie

## Un exemple : faire des inférences

Faire des inférences, ou «lire entre les lignes», constitue une importante stratégie de compréhension utilisée par les lecteurs habiles de tous les âges.

Quand ils infèrent, les élèves doivent déduire ce qui n'est pas écrit dans le texte en se servant des renseignements du texte et de leur connaissance du sujet. Pour ce faire, les lecteurs font appel à plusieurs activités cognitives telles que la prédiction, l'interprétation, la formulation d'hypothèses et l'évaluation.

### L'explication de la stratégie

Dites aux élèves que les lecteurs habiles font plus que lire les mots dans une page : ils utilisent ce qu'ils connaissent déjà pour retirer une compréhension plus approfondie du texte. Ils «lisent entre les lignes» ou comblent les lacunes pour comprendre des choses que l'auteur n'a pas écrites, deviner ce qui a pu se produire avant ou mieux comprendre les personnages. Les lecteurs habiles en apprennent autant à partir de ce que l'auteur sous-entend qu'à partir de ce qui est clairement énoncé. Indiquez à vos élèves que cette stratégie se nomme faire des inférences ou inférer un sens. C'est un concept difficile à expliquer, et il est préférable de s'en tenir à une brève explication et de donner plusieurs exemples pour l'illustrer. Expliquez aux élèves que faire des inférences est une stratégie utilisée par les lecteurs habiles et que vous allez travailler ensemble pour apprendre cette stratégie qui leur sera très utile dans leur lecture.

## La modélisation de la stratégie

Dans une séance de lecture partagée et en utilisant un texte de grand format qui comprend de bons exemples, lisez d'abord le texte entier afin que les élèves saisissent le sujet présenté. Relisez ensuite tout le texte ou certains passages et faites des pauses pour réfléchir à voix haute à propos des inférences que vous pouvez faire à partir du texte. Cela peut se faire en modélisant la pensée métacognitive pour élaborer le sens d'un texte. Exprimez vos réflexions à voix haute. Ne vous arrêtez pas trop souvent non plus, pour éviter de perdre le fil du texte ou l'intérêt des élèves. Continuez de modéliser de cette façon en lisant une variété de textes pendant plusieurs séances de lecture. Dans les exemples suivants, des agrandissements de textes ou de passages ont été utilisés dans une séance de lecture partagée.

## La modélisation d'une stratégie

### Ma rencontre avec Archie

*Chapitre 1*
*Maman était très heureuse de son nouvel emploi. Moi, je ne l'étais pas du tout.*

*— Tu vas être contente, Alice, me dit-elle avec son nouveau rouge à lèvres. Madame Lilly est une personne très gentille.*

*— Comment le sais-tu ? ai-je répondu. Elle est peut-être un monstre. Elle est peut-être un chauffard. Elle est…*

*On frappa à la porte, et Madame Lilly entra. Maman semblait nerveuse.*

*— As-tu pensé à apporter ton repas ? Tu auras aussi besoin de ton chandail.*

*Je levai les yeux au ciel.*

*— Relaxe, maman, ça va aller.*

*Madame Lilly sourit. Je ne lui rendis pas son sourire.*

*Nous avons accompagné maman jusqu'à l'ascenseur. Elle portait une jupe, et ses souliers à talons hauts claquaient sur le plancher. Elle ne ressemblait pas du tout à ma mère. Une fois rendues au sous-sol, elle m'embrassa en me disant au revoir et se dirigea vers sa voiture.*

*— Bonne chance au journal, lui dis-je. J'espérais secrètement qu'elle détesterait son nouveau travail.*

Adapté de *How I Met Archie*,
Anna Kenna, 1999.

*La mère d'Alice a trouvé un nouvel emploi, et elle lui dit qu'elle sera contente, car Madame Lilly est une personne gentille. Je peux inférer que Madame Lilly est la nouvelle gardienne d'Alice. Je sais que les parents engagent souvent une gardienne quand ils ne peuvent rester à la maison avec leurs enfants. J'ai utilisé les mots du texte et mes connaissances et expériences antérieures pour faire cette inférence.*

*J'infère que la mère d'Alice restait à la maison depuis un certain temps, et que son nouvel emploi représente un changement important dans la famille. Le texte est écrit à la première personne – comme si Alice s'adressait à moi, le lecteur, et cela m'en apprend beaucoup sur son attitude. Je me souviens aussi de ce que j'ai ressenti quand ma mère a commencé à travailler. D'après ces indices, je peux inférer qu'Alice préférerait que sa mère n'aille pas travailler à l'extérieur et qu'elle n'a pas du tout envie d'avoir une gardienne.*

*D'après ce paragraphe et la photographie, j'apprends que le diable de Tasmanie est un petit animal plutôt inoffensif pour les humains. J'infère également que les gens sont souvent effrayés par cet animal. Il y a des renseignements spécifiques sur sa taille, son comportement et son alimentation, et j'ajoute à cela ce que je connais sur les attitudes des humains envers les animaux qui font des bruits effrayants et montrent leurs dents. Je pense aussi au nom qu'on a donné à cet animal – cela confirme mon inférence que les gens pensent que cet animal est redoutable, dangereux et agressif.*

Source : *Zénith Lecture partagée*, R. Morris, 2006.

## La pratique guidée de la stratégie

Demandez aux élèves d'appliquer cette stratégie, avec votre aide. Une séance de lecture partagée avec toute la classe ou en plus petits groupes est ce qui convient le mieux. Incitez les élèves à réfléchir à voix haute et à expliquer comment ils arrivent à faire leurs inférences. Au début, ils peuvent reprendre des questions ou des phrases que vous avez utilisées dans votre modélisation. Vous pouvez également utiliser un organisateur graphique pour structurer et noter vos réflexions.

## Faire des inférences

| | Le texte dit... | Je sais que... | Je peux inférer que... |
|---|---|---|---|
| **Ma rencontre avec Archie** | • La mère d'Alice est heureuse de son nouvel emploi, au contraire d'Alice.<br>• Madame Lilly est une nouvelle connaissance.<br>• Alice n'a pas vraiment confiance en Madame Lilly. | • Les parents emploient parfois des gardiennes lorsqu'ils s'absentent de la maison pour aller travailler.<br>• Je préférais quand maman restait à la maison avec moi. | • Madame Lilly est la nouvelle gardienne d'Alice. |
| | • La mère d'Alice a trouvé un nouvel emploi.<br>• Elle se met maintenant du rouge à lèvres.<br>• Elle se montre nerveuse envers Alice.<br>• Alice n'est pas habituée à voir sa mère habillée de cette façon. | • Les parents peuvent être nerveux quand ils confient leurs enfants à d'autres personnes. | • Jusqu'à maintenant, la mère d'Alice ne travaillait pas à l'extérieur du foyer.<br>• Le nouvel emploi rend la mère d'Alice nerveuse. |

| Le diable de Tasmanie | | |
|---|---|---|
| • Cet animal a été nommé ainsi à cause des sons horribles qu'il produit.<br>• Il n'est pourtant pas dangereux ni redoutable. | • Un diable de Tasmanie est un personnage de bande dessinée qui agit follement. | • Cet animal ne mérite peut-être pas sa mauvaise réputation. |
| • Il a la taille d'un petit chien. | • Je n'aurais pas peur d'un petit chien. | • Il n'y a aucune raison d'avoir peur du diable de Tasmanie. |
| • Il se nourrit surtout de restes d'animaux tués par d'autres prédateurs. | • Les charognards mangent des animaux morts. | • Il est peu probable que cet animal attaque un être humain plus grand que lui. |

### La démonstration de la stratégie par les élèves

La lecture partagée et la lecture guidée sont les meilleures approches à utiliser, car elles vous permettent d'offrir aux élèves des occasions de démontrer leurs réflexions, et vous consoliderez leur habileté à faire des inférences. Vous pouvez aussi ajuster progressivement votre aide selon les besoins individuels.

### La pratique autonome de la stratégie

Choisissez des activités – comme celles indiquées ci-dessous – qui demanderont aux élèves de faire des inférences.

---

- Écrivez un texte d'opinion pour inciter les gens à changer leur conception sur le diable de Tasmanie.
- Réécrivez le début du texte *Ma rencontre avec Archie* en vous mettant à la place de Madame Lilly.
- À l'aide d'une photocopie du texte et d'un crayon surligneur, indiquez les endroits où vous avez fait des inférences.

---

# Les stratégies de compréhension en contexte

Les lecteurs habiles utilisent plusieurs stratégies de compréhension dans toutes sortes de contextes, déterminés par leurs besoins et leurs intérêts personnels, leurs interactions sociales, leurs motivations et plusieurs autres facteurs (adapté de Dowhower, 2002). Villaume et Brabman (2002) ont noté que les lacunes dans l'enseignement des stratégies de compréhension résident souvent dans les interventions de l'enseignant effectuées de façon sommaire ou rapide plutôt que significative (page 672). Ces auteurs insistent sur l'importance de non seulement expliquer des stratégies, mais «de transformer l'attitude des élèves envers la lecture».

L'enseignant montrera aux élèves de quelle façon les stratégies de compréhension les aideront à aborder des textes en produisant du sens et en gérant leur compréhension. Toutefois, les enseignants doivent se rappeler constamment et rappeler aux élèves qu'une stratégie n'est pas une fin en soi, mais constitue un outil. Susan Zimmermann (Keene et Zimmermann, 1997, page 216) réfléchit aux façons dont elle utilise les stratégies tout en lisant : «Elles s'entremêlent et s'amalgament, et je passe rapidement d'une stratégie à l'autre, quand je n'en utilise pas plusieurs simultanément.» La métaphore de la mosaïque de Keene et Zimmermann donne un parfait exemple de cette approche d'élaboration de sens. C'est ce type de synthèse et d'automatismes que les enseignants doivent tâcher de montrer et de valoriser lorsqu'ils enseignent des stratégies de compréhension.

Les enseignants qui mettent trop l'accent sur l'utilisation d'une stratégie particulière donneront aux élèves l'impression qu'une bonne lecture consiste à bien utiliser cette stratégie (pour faire plaisir à l'enseignant) plutôt qu'à construire du sens. Chaque stratégie peut être expliquée au moyen des techniques décrites dans ce chapitre, mais l'enseignement doit aller au-delà de la pratique des stratégies individuelles pour viser l'intégration de plusieurs stratégies. Comme une enseignante en littératie le soulignait :

> *L'enseignement des stratégies perd de sa signification s'il incite tous les élèves à placer des petites notes autocollantes dans leurs livres aux endroits où ils ont imaginé ou fait des inférences, mais sans se demander pourquoi, et sans savoir en quoi cette stratégie peut les aider dans leur lecture. Les stratégies ne peuvent être enseignées isolément : quand nous lisons, nous en intégrons plusieurs en même temps. Les élèves plus âgés ont vraiment besoin d'aide pour y arriver. La lecture partagée peut leur fournir un milieu rassurant où ils pourront acquérir les compétences nécessaires à comprendre un texte.*

Enseignante en littératie, 2002.

La facilité avec laquelle les lecteurs habiles construisent du sens dissimule le fait qu'un processus complexe est en cours pendant qu'ils lisent. Par exemple, faire une inférence implique la mise en œuvre simultanée de plusieurs stratégies. Le questionnement du texte, les associations entre le texte et ce que le lecteur sait déjà, l'établissement de liens et l'imagerie mentale font partie du processus mental et se produisent simultanément dans l'esprit du lecteur. En conséquence, l'enseignement des stratégies de compréhension ne consiste habituellement pas à enseigner quelque chose de nouveau. Cela consiste plutôt à montrer aux élèves comment utiliser les stratégies qu'ils connaissent déjà, afin de construire du sens à un niveau plus approfondi.

Les enseignants doivent donner juste assez de directives pour que les élèves comprennent comment une stratégie particulière peut les aider. Ils doivent ensuite superviser l'utilisation et l'intégration de cette stratégie par les élèves, et leur donner des occasions de l'appliquer dans plusieurs contextes différents. Plutôt que leur montrer ce qu'ils peuvent faire ou savent déjà, l'enseignement stratégique et efficace consiste à s'appuyer sur le connu pour aider les élèves dans leur apprentissage de la lecture.

Des directives soigneusement choisies et de nombreuses occasions de pratiquer devraient amener les élèves à faire preuve de métacognition : réfléchir à leur propre processus de pensée pendant qu'ils lisent, de manière à apporter des correctifs ou des ajustements tout au long de la lecture. Les enseignants utiliseront le cadre de travail décrit dans ce chapitre comme point de départ lorsqu'ils aideront les élèves à atteindre de meilleurs niveaux de compréhension et à utiliser consciemment et de manière plus intégrée les habiletés, les stratégies et les connaissances qu'ils possèdent déjà. Les élèves ont constamment besoin de se faire rappeler que la lecture requiert une intégration de plusieurs stratégies plutôt que l'application d'une seule d'entre elles.

## L'intégration des stratégies

### L'introduction de l'enseignant:

*Nous avons déjà discuté de quelle façon les lecteurs habiles utilisent simultanément plusieurs stratégies diffé-rentes pour construire du sens à partir d'un texte. Si vous y pensez en lisant, vous remarquerez peut-être que vous utilisez la même stratégie de différentes façons, selon le texte et votre objectif. À l'aide d'un texte concernant un peintre nommé Picasso, je vais modéliser l'utilisation de plusieurs stratégies qui m'aident à prévoir de quoi il sera question dans ce texte. Suivez le texte des yeux pendant que je le lis.*

**Utiliser ses connaissances antérieures:**
Je ne sais pas grand chose à propos de Picasso. Je sais qu'on l'a souvent décrit comme un artiste controversé. Certaines personnes le considèrent comme le plus grand artiste du 20e siècle.

**Gérer sa compréhension en relisant:**
J'ai relu ceci afin de m'assurer que j'avais bien lu... trois yeux. Oui, c'est ça. Je me demande pourquoi Picasso voudrait représenter des personnages à trois yeux. Qu'est-ce qu'il essaie de communiquer?

Pablo Picasso est né à Malaga, en Espagne, le 25 octobre 1881. Picasso était le fils de José Ruiz Blasco et de Dona Maria Picasso y Lopez. Son père, lui-même artiste et professeur de dessin, encourage son fils à dessiner et à peindre. Picasso manifeste des dons exceptionnels pour la peinture. Il réalise ses premiers tableaux à l'âge de 8 ans. Certaines personnes affirment qu'il savait dessiner avant même de savoir par-ler. À partir de 1901, Picasso utilise seule-ment le nom de sa mère pour signer ses œuvres.

D'après les experts, Picasso fut l'un des artistes les plus prolifiques de son temps. Il réalise des peintures de personnages à trois yeux. Parfois, ses personnages ont de gros yeux sur le nez, et d'autres fois, il n'y a même pas de nez. De nombreux person-nages sont représentés en formes géomé-triques simples, souvent des carrés ou des triangles. Picasso affirme qu'il ne peint pas ce qu'il voit, mais qu'il peint ce qu'il pense. Ainsi, Picasso a fait preuve de beau-coup d'imagination et a pu se différencier des autres artistes de son temps.

**Poser des questions à propos de ce qu'on lit:**
J'essaie de m'imaginer ce à quoi il pense lorsqu'il peint des personnages déformés. Est-ce qu'il veut démontrer leur personna-lité? Est-ce qu'il veut nous faire réfléchir sur la façon dont on voit les choses?

**Faire des inférences:**
Je déduis que l'originalité de ses peintures lui a mérité cette reconnaissance.

Source: Adapté de *Picasso*, Paula Slack, 2002.

Quand les enseignants encouragent les élèves et leur donnent des occasions de mettre en pratique des stratégies dans un contexte d'interaction et de motivation, ils travaillent ensemble à construire du sens. La lecture partagée est une approche qui favorise ce processus.

# Chapitre 10

# La lecture et l'écriture : des processus complémentaires

## Les rapprochements

> *Les enseignants veulent que les élèves se posent des questions importantes en découvrant un nouveau texte. Par exemple : « Comment cet auteur exprime-t-il ses idées ou ses observations ? » et « Comment ces techniques d'écriture peuvent-elles m'aider à enrichir mes textes ? » Le travail de l'enseignant consiste à donner aux élèves le goût d'écrire en leur faisant découvrir la structure d'une variété de formes d'écriture grâce à l'utilisation de modèles de rédaction efficaces.*
>
> Adapté de Jayne Jackson, 2002, page 9.

Un programme de littératie comprend quatre composantes distinctes, mais d'égale importance : la lecture, l'écriture, l'expression orale et l'écoute active. La lecture partagée appuie l'apprentissage de l'écriture, et l'inverse est également vrai. Quand les élèves explorent ces rapprochements en pratiquant la lecture partagée, les discussions suscitées peuvent améliorer leurs habiletés en rédaction. Plus précisément, la lecture partagée permet aux enseignants d'amener les élèves à améliorer la qualité de leurs rédactions en leur montrant la nature complémentaire de la lecture et de l'écriture. Les enseignants efficaces font ressortir ces rapprochements de manière explicite, et aident ainsi les élèves à apprendre à lire comme des auteurs et à écrire comme des lecteurs.

## Les occasions de lire et d'écrire

L'écriture est inséparable de la lecture. L'enseignant peut profiter de la relation entre la lecture partagée et l'écriture partagée ou interactive (l'enseignant rédige avec la classe un texte visible par tous) et saisir plusieurs moments favorables d'enseignement. Dans l'exemple qui suit, l'enseignante a profité de l'intérêt et de la curiosité des élèves pour créer une occasion authentique d'apprentissage. La grande souplesse d'utilisation de la lecture et de l'écriture partagées permet également d'étendre cet apprentissage à plusieurs domaines du programme d'études.

## L'apprentissage dans les différents domaines du programme d'études

Les élèves de Marcelle, âgés d'environ 10 ans, préparaient une fin de semaine de camping avec leur enseignant d'éducation physique. Plusieurs élèves se montraient fort intéressés à apprendre comment on pouvait survivre en forêt. Marcelle les a donc encouragés à effectuer des recherches sur Internet et à la bibliothèque de l'école pour en apprendre davantage sur la survie en forêt. Les élèves ont trouvé plusieurs renseignements intéressants. Marcelle y a vu une occasion idéale de familiariser les élèves aux textes présentant des marches à suivre (modes d'emploi et instructions). Elle a projeté sur l'écran une page de livre et l'a utilisée dans une séance de lecture partagée. L'objectif était d'étudier la structure de ce genre de texte.

Source: *Camper en forêt*, J. Pritchett, 2006.

Marcelle a posé des questions pour guider soigneusement les élèves, a examiné et a déterminé les caractéristiques particulières d'une marche à suivre. Au cours de l'interaction, Marcelle écrivait les observations des élèves au tableau. Elle s'est appuyée sur ce que les élèves connaissaient déjà à propos des marches à suivre, en mettant l'accent sur les structures spécifiques de ce genre de texte.

Comme Marcelle attirait l'attention des élèves sur les traits distinctifs du texte, ils ont pu se rendre compte de ce qui différenciait ce type de texte et de la raison de ces différences. Comme activité de suivi à cette séance de lecture partagée, Marcelle a demandé aux élèves de trouver d'autres textes semblables. Les élèves ont rassemblé des exemples allant des recettes aux livrets d'instructions d'une caméra vidéo. Ils ont constaté que tous ces textes avaient une structure similaire. Ils avaient maintenant acquis la base nécessaire pour écrire leur marche à suivre. Quelques élèves ont préféré se servir d'un organisateur graphique pour structurer leur production écrite, alors que les autres ont préféré rédiger directement leur première version d'une marche à suivre, en se basant sur la liste des caractéristiques qu'ils avaient déterminées.

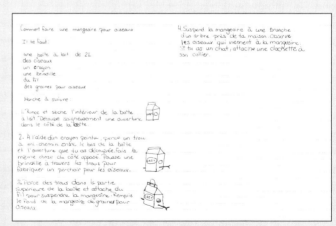

# L'utilisation de textes comme modèles d'écriture

Quand nous devons rédiger un type de texte qui nous est peu familier, nous cherchons souvent des exemples écrits par des auteurs habiles, comme modèles d'écriture. Cela nous aide à préciser le style et le niveau de langage appropriés, de même que le ton, la ponctuation et la mise en pages normalement utilisés. La lecture partagée constitue une excellente occasion d'examiner des modèles de textes dont la forme, le genre et le style sont différents. Le fait d'observer ce que produisent les auteurs habiles accentue l'aspect interactif de la lecture et fait ressortir la relation existant entre la lecture et l'écriture. Cet exercice d'exploration rend également le travail d'écriture plus explicite pour les élèves, et démontre comment la lecture appuie l'écriture. En étudiant une variété de textes en lecture partagée, les élèves découvrent des formes et des caractéristiques qu'ils peuvent ensuite utiliser dans leurs productions écrites.

La lecture partagée permet de définir le genre de texte, de se demander pourquoi l'auteur a choisi ce type de texte, de reconnaître la structure du texte et de déterminer le public cible. C'est par ce genre de réflexion interactive que les enseignants aident les élèves à développer leurs compétences en lecture et en écriture.

En tant que lecteurs, les élèves devraient être encouragés à réfléchir aux éléments ou aux caractéristiques qui contribuent à la qualité d'une production écrite. Des exemples de textes de qualité peuvent être utilisés pour étudier de quelle façon les auteurs emploient la langue pour créer des effets particuliers. De courts extraits seront choisis dans des romans, des histoires brèves, des poèmes et d'autres textes, et utilisés en lecture partagée pour développer la conscience des élèves et leur faire apprécier le choix de mots. La poésie convient particulièrement bien à la lecture partagée : les textes sont souvent assez courts pour être transcrits sur des transparents ou sur de grandes feuilles, et les relectures dirigent l'attention vers l'étude des mots employés par l'auteur, en plus de faire apprécier la qualité du poème. Les journaux intimes, les lettres et les courriels sont également des modèles de productions écrites personnelles.

Dans l'exemple qui suit, l'enseignante a utilisé des textes pour familiariser ses élèves à la rédaction de cartes postales.

## Les productions écrites personnelles

Madeleine voulait utiliser des cartes postales pour familiariser les élèves à la rédaction de ce genre de texte et les amener à inventer une histoire. Elle leur a demandé d'apporter en classe des cartes postales sans en préciser le genre. En classe, les élèves ont classé ces cartes par catégories :

- carte postale souvenir de vacances ;
- carte postale pour fêter un événement particulier (anniversaire, mariage...) ;
- carte postale humoristique ;
- autre...

La taille, le format, l'illustration et le texte imprimé ont donné lieu à des observations et à des interactions intéressantes. Pour guider les élèves dans leur réflexion, Madeleine a posé quelques questions.

- « Dans quels endroits achète-t-on des cartes postales ? »

  Sur son lieu de vacances, à la poste ou dans des magasins de souvenir proches de lieux intéressants que l'on a visités ou par lesquels on est passé.

- « À qui adresse-t-on ce genre de carte postale ? »

  À toute personne à qui on a pensé pendant son voyage (membre de sa famille, amis, voisins, camarades de classe, relations de travail).

- « Pour quelle(s) raison(s) ? »

  Pour montrer aux gens que l'on pense à eux, parce qu'ils nous ont envoyé des cartes postales ou parce qu'ils nous rendent un service pendant notre absence...

- « Quels sont les avantages de la carte postale, pour celui qui l'envoie et pour celui qui la reçoit ? »

  Un texte court, au recto une illustration qui peut rester en exposition quelque temps chez celui qui l'a reçue et que souvent on a choisi en fonction de ses goûts.

- « Au contraire, quels sont les désavantages à utiliser la carte postale ? »
  Tout le monde peut la lire, l'espace pour écrire est limité, une grande place (la partie à droite) est réservée à l'adresse du destinataire.

Après une discussion à propos du texte d'une carte postale, Madeleine a demandé aux élèves de travailler en équipes de deux pour inventer une histoire sous forme de carte postale. Chaque membre de l'équipe devait inventer un personnage et correspondre avec son partenaire en utilisant une carte postale.

En mettant l'accent sur les différents genres de textes, de même que sur l'intention des auteurs et sur le public cible, les enseignants approfondissent la compréhension des élèves et les aident à poser des questions mieux ciblées lorsqu'ils se trouvent devant de nouveaux types de textes. De plus, les enseignants fournissent ainsi des modèles que les élèves peuvent chercher à reproduire dans leurs productions écrites.

En sélectionnant les textes qui serviront à une séance de lecture partagée suivie d'un atelier d'écriture, il est important de préciser l'objectif et d'expliquer ce choix aux élèves. De plus, les enseignants doivent considérer soigneusement les résultats d'apprentissage à atteindre. Puisque la lecture partagée se prête facilement à différentes fins, l'enseignant déterminera un objectif spécifique pour chaque séance. Présenter trop de renseignements en même temps peut entraîner de la confusion chez les élèves et empêcher la compréhension. Lorsqu'elle est bien pratiquée, la lecture partagée améliore non seulement la compétence des élèves à comprendre une variété de textes complexes, mais fournit également des modèles d'écriture qui pourront améliorer leurs productions écrites.

### L'utilisation de modèles d'écriture

Après avoir lu *Intrigues à St. John's,* Lise voulait montrer comment les auteurs doivent intégrer des détails captivants à leurs textes pour garder l'attention des lecteurs. Elle a utilisé l'extrait suivant pour enseigner aux élèves comment un auteur ajoute des détails à son texte pour inciter le lecteur à poursuivre sa lecture.

> «Il est 17 heures et la nuit est tombée. Nerveuse, Pierrette Thibodeau fait les cent pas dans le stationnement encombré. La masse sombre de l'aréna de Dartmouth lui fait penser à une grosse tortue qui gronde. À l'intérieur, elle entend les hurlements de la foule. Elle se demande pourquoi les gens crient, quel jeu excitant ils applaudissent. La clameur s'intensifie, on sent l'excitation gonfler les murs de l'aréna... et soudain, tout explose : un but!»
>
> Tiré de *Intrigues à St. John's,* Michel Simard, 2004.

Lise a utilisé les questions suivantes pour faire réfléchir ses élèves :

• *Comment le premier paragraphe de ce roman capte-t-il l'attention du lecteur?*

• *Comment l'auteur donne-t-il des indices sans trop en dévoiler?*

• *Comment ce texte pourrait-il inciter le lecteur à vouloir en apprendre davantage?*

• *Comment l'auteur communique-t-il des renseignements sur le lieu?*

Lise a ensuite demandé aux élèves de rédiger une introduction qui pourrait capter l'attention d'un lecteur et l'inciter à poursuivre sa lecture.

En utilisant différents types d'écrits pour examiner les intentions des auteurs et analyser les traits distinctifs d'une rédaction de qualité, les enseignants montrent aux élèves comment élargir leur répertoire d'habiletés en écriture.

# L'utilisation de productions écrites des élèves comme modèles

Durant les séances de lecture partagée, les enseignants peuvent également utiliser les productions écrites des élèves. Des travaux qui montrent la progression ou le développement des idées d'un élève, du premier jet à la version finale, serviront de modèles pour améliorer et raffiner une rédaction finale. Utiliser les productions écrites des élèves pour une séance de lecture partagée est un moyen efficace de les aider à analyser leurs rédactions et aussi à les motiver à essayer quelque chose de nouveau.

L'utilisation de productions écrites des élèves devant leurs pairs doit toujours se faire avec beaucoup de soin. Les élèves doivent donner leur accord pour qu'on utilise leur travail, et leurs écrits doivent toujours être traités avec respect.

### L'utilisation de modèles d'écriture des élèves

Andréa, une enseignante de quatrième année, voulait montrer à sa classe comment un auteur réparti ses idées dans des paragraphes. Elle voulait ainsi montrer aux élèves que chaque paragraphe contient une idée directrice et des détails qui y sont reliés. Andréa a utilisé une rédaction d'une élève dans une séance de lecture partagée pour montrer comment rédiger un bon paragraphe. Elle a expliqué que chaque paragraphe traite d'un sujet ou d'une idée principale. Elle a aussi souligné que les paragraphes aident les lecteurs à suivre le raisonnement et rendent le texte plus facile à lire.

Andréa voulait également susciter une discussion en classe sur les façons d'améliorer une rédaction. Elle voulait souligner que l'une des compétences importantes qu'un auteur doit développer est l'écriture de bons paragraphes. Pour amener les élèves à réfléchir sur la construction efficace de paragraphes, Andréa a posé les questions suivantes :

- *Quelle est l'idée directrice de ce paragraphe ? De quoi traite-t-il surtout ?*
- *Quelle est la phrase thème, c'est-à-dire celle qui donne l'idée directrice ?*
- *Quels détails l'auteure donne-t-elle pour soutenir l'idée directrice ?*
- *Pourquoi l'auteure donne-t-elle ces détails ?*
- *Comment l'auteure a-t-elle choisi les détails à mettre dans le paragraphe ?*
- *Comment l'auteure a-t-elle décidé de commencer un nouveau paragraphe ?*
- *Comment la répartition des idées dans différents paragraphes aide-t-elle les lecteurs ?*

## Les textes utilisés comme modèles et l'écriture partagée

Dans le prochain exemple, des élèves ont étudié la poésie comme forme d'écriture. Durant plusieurs jours, ils ont examiné ensemble plusieurs types de poèmes : rimes, vers libres, haïkus et acrostiches. Ces élèves étaient en cinquième année, mais le même cours peut être adapté aux élèves de tous les âges. Ils ont lu des textes de différents styles et de divers auteurs, et la lecture partagée a permis à toute la classe non seulement d'apprécier la qualité lyrique de la poésie, mais également d'analyser le travail des auteurs. L'objectif de cette séance était de distinguer les expressions imagées dans la poésie et d'étudier la façon de les utiliser en rédigeant. L'enseignante a fait suivre la lecture partagée par une séance d'écriture partagée, au cours de laquelle toute la classe a participé à un remue-méninges pour composer un poème au tableau.

## L'utilisation d'un modèle de texte

Laura a choisi *Écris un poème,* car c'est un bon exemple d'une forme particulière de poésie. Le poème consiste en une phrase répétitive que les élèves peuvent utiliser comme base dans leur composition, et il montre très bien l'emploi d'expressions imagées pour «faire sentir, et non seulement dire des choses».

### *La lecture partagée*

En utilisant une version agrandie du poème, Laura a demandé à ses élèves: «Quelles caractéristiques ont aidé l'auteur à rendre son poème intéressant?» Laura a dressé une liste des caractéristiques du poème en posant des questions de réflexion aux élèves. Leur liste comprenait l'allitération, l'assonance, la rime, les phrases répétitives et les mots d'action. Bien sûr, les élèves ne connaissaient pas ces traits distinctifs par leurs noms, mais ils avaient remarqué, par exemple, que plusieurs mots commençaient par la même lettre. Laura a relevé quelques observations des élèves et en a profité pour faire un point d'enseignement. Quand elle a présenté les mots *allitération* et *assonance,* les élèves ont tout de suite voulu les ajouter à la «liste de mots nouveaux» de la classe!

Ensuite, Laura a demandé aux élèves de dresser une liste d'allitérations et d'assonances en consultant un dictionnaire ou en collaborant avec un pair. Elle leur a demandé de choisir des lettres différentes de celles employées par l'auteure et de trouver des mots «expressifs et évocateurs» qu'ils pourraient utiliser dans un poème.

### *L'écriture partagée*

Avec les élèves, Laura a recopié au tableau les deux premiers vers du poème dans un exercice d'écriture partagée. Chaque élève a copié ces vers dans ses notes d'écriture. Quand elle fut certaine que tous les élèves avaient la base nécessaire pour continuer par eux-mêmes, Laura leur a demandé d'écrire chacun deux vers en employant des mots de leur liste. Elle leur a rappelé qu'ils pouvaient utiliser comme modèles les vers produits par la classe et le poème original.

En combinant la lecture et l'écriture partagées, Laura a apporté le niveau d'aide requis pour lancer les élèves dans leur projet d'écriture autonome. De cette façon, ils ont appris à utiliser la structure du poème original comme modèle. En écrivant au tableau les deux premiers vers d'après les idées proposées par la classe, Laura a étayé le processus de création chez les élèves. Elle a utilisé la technique de «réflexion à voix haute» pour leur montrer de quelle façon les auteurs choisissent les mots et les images qu'ils veulent créer en rédigeant un texte. Les idées avancées par les élèves ont été appréciées, valorisées, discutées et combinées de telle sorte que tous ont eu voix au chapitre. Quand un désaccord survenait à propos des mots à ajouter au poème, Laura amenait les élèves à un consensus et modélisait une prise de décision dans la création d'un texte. Comme toutes les idées n'ont pu être retenues, elle a montré comment essayer différentes expressions et rejeter celles qui convenaient moins bien.

---

### Écris un poème

*Écris un poème,*
*Fais-le penser,*
*Fais-le pleurer,*
*Fais-le parler.*

*Écris un poème,*
*Fais-le chuchoter,*
*Fais-le charmer,*
*Fais-le chanter.*

*Écris un poème,*
*Fais-le adopter,*
*Fais-le adorer*
*Fais-le admirer.*

*Écris un poème*
*Fais-le voler,*
*Fais-le voisiner,*
*Fais-le voyager.*

Adapté de Desna Wallace, 2002.

*(suite)*

> Tous les élèves ont pu utiliser le modèle et le peaufiner davantage lors des séances d'écriture suivantes. Laura a dressé une liste de caractéristiques que les élèves ont conservée pour s'y référer lorsqu'ils auraient à composer d'autres poèmes. Grâce à la lecture partagée, les élèves ont appris à reconnaître les traits distinctifs d'une forme de poésie, ont enrichi leur vocabulaire et ont amélioré leur habileté à écrire eux-mêmes des poèmes de qualité.

Dans l'exemple ci-dessus, l'écriture partagée a amené les élèves à se sentir à l'aise et assistés dans leur travail de création d'un poème. Ceux qui éprouvaient des difficultés, et particulièrement ceux qui étudiaient dans une langue seconde, ont bénéficié du processus d'écriture partagée qui leur a permis de participer activement à l'activité, et de se sentir à égalité avec leurs pairs et avec l'auteure.

Discuter et travailler ensemble à développer une production écrite aide tous les élèves du groupe à se sentir responsables et à prendre de l'assurance dans leurs productions écrites. Même les élèves les moins bien disposés peuvent s'exprimer et contribuer à la création de la production finale. La lecture et l'écriture partagées se complètent et se renforcent mutuellement de façon naturelle, ce qui souligne la relation de complémentarité entre la lecture et l'écriture dans l'esprit des élèves.

## Modéliser ou copier?

La lecture partagée est une excellente approche pour examiner la différence entre utiliser un modèle pour améliorer son écriture et copier les mots d'un autre auteur. Il est essentiel que les élèves soient conscients de cette distinction et il convient de les inciter à la prudence face au plagiat (faire passer le travail d'un autre pour le sien). Cette prise de conscience est particulièrement importante, car les élèves doivent utiliser de nombreuses références lorsqu'ils écrivent des textes dans le cadre d'un projet en sciences humaines ou dans un autre domaine du programme d'études. Trop souvent, les élèves utilisent ces références en copiant simplement des phrases ou des passages tirés d'un ouvrage (encyclopédies, manuels, Internet), sans fournir le moindre effort pour moduler ces idées. Les élèves qui exécutent ce genre de «recherches» en apprennent très peu sur leur sujet d'étude, surtout si l'enseignant accepte leur travail comme s'il satisfaisait aux exigences de leur tâche.

Pour certains élèves, particulièrement ceux qui étudient dans une langue seconde ou éprouvent des difficultés particulières avec certains types de textes, les premières tentatives d'utiliser un modèle d'écriture peuvent effectivement se résumer à de simples plagiats. Puisque l'écriture est un processus de développement, certains ont parfois besoin d'avoir l'exemple de quelqu'un d'autre pour connaître du succès. Les enseignants constateront qu'en modélisant continuellement «comment le dire avec vos propres mots», ils aident les élèves à comprendre comment parvenir à une écriture plus originale. Modéliser son écriture sur celle des autres est une façon d'agir normale et acceptée pour améliorer et développer ses propres habiletés en écriture, mais le travail des enseignants est d'amener les élèves vers une meilleure autonomie et une plus grande originalité.

*Les détracteurs de ce procédé peuvent croire qu'on incite ainsi les élèves à simplement régurgiter le modèle utilisé, mais ce n'est pas ce que notre expérience nous a appris. En modélisant, les enseignants fournissent des textes riches et variés, et les élèves deviennent plus responsables de leur apprentissage. Le travail de l'enseignant est d'appuyer les élèves dans leur apprentissage afin qu'ils écrivent et s'expriment avec autorité, en alliant la clarté de la pensée à la beauté des expressions, et en traitant des sujets réels et importants pour eux.*

Adapté de Jayne Jackson, 2002, page 10.

# Réagir par écrit aux textes

Le processus de lecture partagée entraîne souvent de riches conversations entre les élèves et l'enseignant. Ces interactions peuvent susciter des réactions intelligentes et personnelles ou inciter à une évaluation plus critique d'un texte. En encourageant les élèves à lire attentivement et à examiner de près une variété de textes, les enseignants les aident à enrichir leur vocabulaire, à comprendre l'effet des mots, à saisir les caractéristiques et les techniques du langage, et les incitent à utiliser leur jugement critique sur le langage utilisé et sur le sens des textes. Une telle compréhension rehausse et enrichit l'écriture des élèves alors qu'ils réagissent aux textes qu'ils ont lus.

Ces réactions par écrit à un texte peuvent être guidées par quelques questions générales. Celles-ci doivent être en rapport avec le genre de texte, les objectifs pédagogiques et les expériences des élèves. Voici quelques exemples de questions :

- *Selon vous, de quoi est-il question dans ce texte ?*
- *Pourquoi a-t-il été écrit et à qui s'adresse-t-il ?*
- *Comment réagissez-vous à ce texte ?*
- *Quels rapprochements personnels pouvez-vous faire avec ce texte ?*
- *Comprenez-vous, aimez-vous et approuvez-vous le message transmis par le texte ?*
- *Quels traits distinctifs l'auteur a-t-il utilisés ? Quelle est la raison de leur utilisation ? Quel effet ont-ils ?*
- *Sur quoi vous appuyez-vous pour justifier votre appréciation du texte ?*

Les élèves ont souvent besoin d'aide et de support pour structurer leur pensée par écrit en réaction à une lecture. L'utilisation d'organisateurs graphiques, de modèles de grilles d'évaluation et d'autres outils graphiques peut grandement aider l'enseignant à saisir la pensée et les idées échangées durant une discussion suite à une lecture partagée. Ces types d'outils sont décrits de façon plus détaillée, à la page 30. Des exemples de critiques de livres, de films et d'émissions de télévision peuvent aussi être utilisés en lecture partagée pour mettre l'accent sur les différentes façons dont les gens peuvent réagir aux créations de leurs pairs.

## Réagir aux textes

En lisant le texte *Desiderata* (Max Ehrmann, 1927) avec sa classe du secondaire premier cycle durant une séance de lecture partagée, Lise avait comme objectif de provoquer une réaction personnelle à ce texte. Elle a demandé aux élèves ce qu'ils en pensaient, s'ils l'avaient aimé, et s'il signifiait quelque chose pour eux. Lise voulait savoir si les conseils trouvés dans le texte étaient perçus par les élèves comme utiles. Les élèves étaient enthousiastes et se sont reconnus dans le message présenté. Lise a consacré un certain temps à examiner soigneusement ce texte avec les élèves, et leur a demandé d'être plus précis dans leurs réponses. Voici des exemples de réponses :

– Moi, j'ai aimé lorsqu'il dit : «Le silence est paix.» J'aime le silence. Ça me donne la chance de penser.

– J'ai aimé lire ce texte. Je trouve qu'il donne de bons conseils.

– J'aime quand il dit : «Ne te compare pas aux autres.» Il y a beaucoup de jeunes de mon âge qui font ça tout le temps. Comme quand il dit : «Tu trouveras toujours meilleur ou pire que toi.»

Lise a aidé les élèves à relever l'utilisation de l'impératif et la structure des phrases, une des caractéristiques qu'ils ont particulièrement appréciées.

Dans une deuxième séance, Lise a relu le texte à voix haute. Cette fois, elle voulait que les élèves réagissent au texte par écrit. Comme plusieurs trouvaient cette activité difficile, elle a préparé un modèle de grille d'appréciation pour les aider à structurer leur pensée. Elle leur a demandé d'encercler un nombre entre 1 et 5 pour indiquer leur appréciation générale. Elle les a ensuite aidés à déterminer précisément ce qu'ils avaient aimé et moins aimé dans le texte, à donner des exemples et à expliquer les raisons de leurs choix.

Quand la grille d'appréciation a été partiellement remplie, Lise a invité les élèves prêts à réagir par écrit au poème à retourner à leur place. Elle a continué à travailler avec les autres, jusqu'à ce que chacun ait assez confiance pour remplir de manière autonome la grille d'appréciation.

---

L'appréciation d'un poème

Poème proposé : _Desiderata_

Par : _Max Ehrmann_

Appréciation globale :
(encercle le nombre qui montre ton appréciation du poème)

    1        2        3        4        5

Je n'ai pas aimé            J'ai beaucoup aimé

Exemples : _____

_____

_____

Raisons : _____

_____

_____

---

# Écrire pour démontrer sa compréhension

Quand les élèves rédigent un écrit original inspiré d'un modèle de texte lu en lecture partagée, ils démontrent leur compréhension de la structure et de l'organisation du texte. L'exercice d'écriture qui suit une séance de lecture partagée aide l'enseignant à rassembler des éléments d'évaluation et lui donne l'occasion d'évaluer son travail. Par exemple, les productions écrites résultant d'une lecture partagée peuvent être un bon exercice de réaction au texte et un moyen par lequel l'enseignant peut évaluer la qualité des rédactions des élèves, la profondeur de leur compréhension ou leur habileté à écrire en utilisant différents styles. Il y a bien sûr des limites : plusieurs élèves comprennent beaucoup mieux que ce qu'ils peuvent en témoigner par écrit.

Dans l'exemple qui suit, une classe du secondaire a étudié un texte sur la Seconde Guerre mondiale dans le cadre du programme de sciences humaines.

## Démontrer ses connaissances

Joseph, enseignant au niveau secondaire, a choisi un roman qui convenait à l'étude de la Seconde Guerre mondiale. L'histoire retrace des faits et comprend plusieurs descriptions colorées de la vie des enfants en Angleterre durant la guerre. Pendant plusieurs jours, Joseph a lu le livre à voix haute à la classe. Il a ensuite isolé quelques éléments clés du texte et les a agrandis pour les utiliser en lecture partagée. Il a incité les élèves à trouver des indications données par le texte et les illustrations qui les aident à imaginer ce que devait être la vie en Angleterre au début des années 1940. Dans cette séance, l'objectif de Joseph était d'inciter les élèves à adopter un style original dans leur écriture. Il voulait qu'ils se mettent dans la peau d'un enfant afin d'imaginer ses pensées, ses émotions et ses sentiments. Joseph voulait aussi savoir ce que les élèves avaient appris sur la Seconde Guerre mondiale grâce à leur lecture.

Pour atteindre son objectif, Joseph a demandé à chaque élève d'écrire une lettre. Il voulait qu'ils fassent abstraction de leur vie personnelle, et s'en tiennent à ce qu'ils avaient appris de leur lecture sur cette guerre. Dans une séance de lecture partagée, il a sélectionné quelques extraits du roman pour attirer leur attention sur les expériences des personnages. Il a demandé aux élèves d'imaginer qu'ils vivaient au début des années 1940 et qu'ils écrivaient une lettre pour décrire leur vie à un soldat parti au front. Joseph a ensuite utilisé ces productions écrites pour évaluer son cours. Il savait que les productions écrites étaient des indicateurs de ce que les élèves ont appris sur la vie durant la Seconde Guerre mondiale.

# L'utilisation d'organisateurs graphiques, de gabarits et de grilles d'appréciation

Ces outils peuvent aider les élèves à préparer et à structurer leur pensée et leurs idées pendant la lecture partagée et avant d'écrire. Utilisés en combinaison avec la lecture partagée, les organisateurs graphiques seront utilisés avec le texte partagé alors que l'enseignant aide les élèves à passer de la lecture à l'écriture. Encore là, l'accent doit porter sur le procédé plutôt que sur le produit. Les élèves doivent comprendre pourquoi ces outils sont utiles et en quoi ils peuvent les aider dans leur lecture et leur écriture. Chez les élèves qui éprouvent des difficultés à rédiger, les organisateurs graphiques permettent également de surmonter la tâche intimidante d'avoir à remplir une grande page blanche. Pour plus de renseignements, voir la page 30.

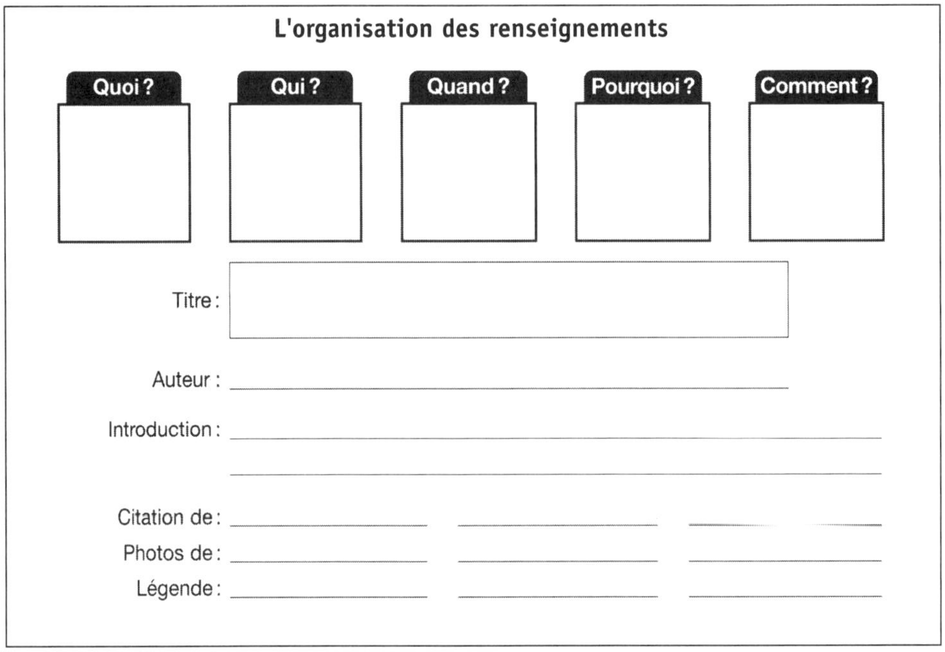

**L'organisation des renseignements**

| Quoi? | Qui? | Quand? | Pourquoi? | Comment? |
|---|---|---|---|---|
|  |  |  |  |  |

Titre : _____

Auteur : _____

Introduction : _____

_____

Citation de : _____  _____  _____

Photos de : _____  _____  _____

Légende : _____  _____  _____

# La lecture partagée et le programme d'études

Les enseignants de tous les niveaux et dans tous les domaines du programme d'études trouveront de nombreuses occasions d'utiliser la lecture partagée pour développer chez les élèves l'expression orale, la compréhension, l'écoute, la lecture et l'écriture. Ce chapitre a indiqué quelques façons d'utiliser la lecture partagée pour motiver les élèves à participer pour apprendre et développer leurs habiletés en écriture.

# Chapitre 11

# La mise en place d'un programme de lecture partagée

Ce chapitre s'adresse directement aux enseignants. Il aborde plusieurs considérations d'ordre pratique, des détails d'organisation et d'autres questions techniques qu'ils se posent en instaurant un programme de lecture partagée.

## Où s'asseoir

Pour régler le problème une fois pour toutes, il vaut la peine de consacrer du temps à l'organisation physique de la classe. Premièrement, tous les élèves doivent voir le texte sans être obligés de s'étirer ou de se pencher. On leur demande de construire du sens à partir d'un texte. Il revient donc à l'enseignant de s'assurer que ce texte est parfaitement visible. Deuxièmement, un regroupement rapproché favorise les discussions et les échanges que l'enseignant veut favoriser par la lecture partagée.

## Comment aménager une aire de lecture sans budget et sans espace

Vous pouvez créer une aire de lecture en déplaçant simplement les pupitres ou les tables. La dimension de la classe et le nombre de tables affectent évidemment l'espace disponible, mais même une petite aire peut être bien utilisée. Voici quelques possibilités :

- Achetez un tapis de dimension adéquate et placez-le à l'endroit désigné pour la lecture. Les magasins de tapis peuvent vendre ou donner des restes inutilisés, des échantillons, ou des tapis usagés.
- Construisez, avec l'aide des parents ou des élèves, des bancs qui délimiteront l'aire de lecture. Utilisez des cageots en plastique rigide et fixez des planches sur le dessus. Placés sur le côté, ils serviront d'espaces de rangement.
- Aménagez la classe de sorte qu'il y ait un espace central où les élèves se rendront rapidement et calmement.

## Les élèves sont trop grands pour s'asseoir sur un tapis

Au cours primaire, il est parfaitement naturel que l'enseignant rassemble les élèves autour de lui, assis sur le plancher, pour discuter, donner des cours, apprécier un livre ensemble ou célébrer une réussite. Dans plusieurs classes du cours primaire, les planchers sont recouverts de tapis. Les enseignants ou les parents peuvent apporter des coussins ou des fauteuils. Certaines classes ont même des divans et des fauteuils confortables qui favorisent une ambiance chaleureuse et douillette dans la classe. Les plus jeunes enfants ne doivent pas être les seuls à profiter de cet agencement intime. Prenez le risque et faites des essais. Vous serez surpris des dividendes apportés par un réaménagement de l'espace physique.

Certains enseignants pensent que faire asseoir les élèves sur le plancher peut les rabaisser ou constituer un facteur de distraction. Les élèves peuvent estimer qu'ils sont trop grands pour s'asseoir autour de leur enseignant « comme des bébés ». Mais plusieurs enseignants qui valorisent le concept de communauté en classe ont découvert des façons astucieuses et pratiques de réunir les élèves plus âgés afin que chacun soit confortablement installé. Les nouveaux aménagements sont également favorables à l'apprentissage et contribuent à bâtir un esprit de communauté en classe. Pourquoi ne pas visiter la classe d'un collègue enseignant, afin de découvrir d'autres exemples d'aménagements de classe ? Ce type de démarche et d'échange donne habituellement des résultats qui vont au-delà des idées échangées. Cela peut consolider l'esprit de collaboration dans les relations entre enseignants et rehausser l'apprentissage professionnel.

## Comment les élèves se rendent à l'aire de lecture sans problème

Quand vous aurez aménagé l'endroit, instaurez une routine efficace pour vous rendre ensemble à l'aire de lecture. Convenez d'un signal à utiliser et pratiquez-le avec la classe ou les groupes jusqu'à ce que la transition s'effectue rapidement et calmement. Les enseignants ont souvent de la difficulté avec ces transitions, spécialement quand ils demandent aux élèves de se déplacer en même temps. Cela vaut la peine de discuter de vos méthodes entre collègues : c'est un des aspects de la vie d'un enseignant qui peut causer une grande frustration et dont on ne parle pas assez ouvertement. Essayez d'organiser une rencontre entre enseignants pour discuter de vos méthodes. Vous verrez que vos collègues vous enseigneront plusieurs techniques simples. Voici quelques suggestions :

- Donnez une directive verbale, prononcée clairement et une seule fois, en utilisant un ton neutre : «Tout le monde se rend à l'aire de lecture, s'il vous plaît.»
- Faites sonner une cloche, très modérément, pour signaler un changement d'activité. Cela fonctionne bien dans les écoles où les élèves sont habitués à ce genre de signal pour changer de classe, indiquer l'heure de la récréation, du repas ou de la fin de la journée.
- Tapez des mains une fois ou faites un signal convenu. Cela peut toutefois être considéré trop enfantin par les élèves plus âgés.
- Fermez et rallumez les lumières du plafond.
- Faites se déplacer les élèves un groupe à la fois pour éviter le bruit de plusieurs personnes qui se déplacent en même temps.

Quelle que soit l'approche utilisée, il est important de créer un genre de rituel autour du processus de lecture partagée. Les élèves réagiront avec respect et maturité si une ambiance sérieuse est instaurée dès le début. Allouez un peu de temps au début pour préciser vos attentes et créer un climat de respect mutuel. Plus la routine deviendra régulière et prévisible, moins les déplacements seront dérangeants.

# Les outils utilisés pour le programme de lecture partagée

## Un rétroprojecteur ou un projecteur électronique

Les rétroprojecteurs sont maintenant fréquents dans les classes, surtout au cycle moyen du primaire et au secondaire. Si vous n'en avez pas, sachez que les bibliothèques, les médiathèques ou les enseignants plus anciens disposent habituellement de rétroprojecteurs sous-utilisés et souvent remisés. Si nécessaire, demandez de l'aide pour en trouver un. Cet instrument vous permet d'être réellement créatif dans la sélection de vos textes.

> Veuillez prendre note qu'il peut être illégal de photocopier sans permission du matériel protégé par des droits d'auteur. Vérifiez auprès de l'éditeur, des autorités locales ou du détenteur des droits pour savoir si vous pouvez reproduire du matériel à des fins éducatives.

Vous devrez savoir où trouver des ampoules de rechange et comment assurer l'entretien du rétroprojecteur. Il est essentiel de trouver ou d'acheter une table dont la hauteur permet de faire des projections à l'horizontale. Ce n'est pas une bonne idée de projeter vers le haut, à partir du plancher ou d'une table basse. L'image s'en trouve déformée, et la lecture est plus difficile, sans raison valable. Quand vous aménagez votre classe au début de l'année scolaire, tenez compte de l'emplacement du rétroprojecteur. Les places pour s'asseoir et la sécurité sont des facteurs à considérer, tout comme l'éclairage et la visibilité. Ces préparations prennent quelque temps, mais vous vous assurez ainsi du succès des séances et une meilleure participation de la part des élèves.

## L'écran

L'idéal est un écran rétractable qui se range facilement. Ces écrans sont habituellement conçus pour minimiser les reflets. Si vous n'avez pas d'écran en classe, d'autres options s'offrent à vous :

- Le verso d'une grande carte géographique déroulée peut servir d'écran. Si la carte est désuète, peignez-la en blanc avec une peinture mate. Il vous faudra peut-être obtenir une permission.
- Des tableaux blancs facilement effaçables fixés de façon permanente à un mur, ou montés sur pied serviront d'écran, mais il faut vérifier les reflets qu'ils produisent. Si le texte n'est pas facilement visible de tous les angles, l'éclairage de la classe devra être modifié, ou une surface différente devra être utilisée.
- Fixez au mur une ou deux grandes feuilles de papier ou de carton fin, blanc et mat, ou installez-les sur un chevalet pour servir d'écran. Vous devrez là encore vérifier la clarté de l'image, de tous les angles visuels.

## Les transparents

Certains éditeurs offrent des transparents de rétroprojecteur à utiliser en lecture partagée. Certains sont excellents et très bien illustrés, mais il faut toujours vérifier la densité du texte avant de les utiliser. Si les caractères sont trop rapprochés, le texte sera difficile à lire et ne conviendra pas à la lecture partagée.

Vous pouvez facilement préparer vos propres transparents à l'aide d'une photocopieuse et de feuilles de type approprié. Superposez deux transparents et écrivez sur celui du dessus avec un stylo à encre effaçable, pour indiquer des points spécifiques du texte. Vous pouvez masquer des parties du texte en noircissant le transparent du dessus, ou en appliquant de fines bandes de papier ou des feuillets autoadhésifs. Un transparent supplémentaire permet d'utiliser plusieurs fois le support où est écrit le texte. Conservez vos transparents dans un classeur à pinces ou dans une chemise. Ils resteront propres et facilement accessibles pour les prochaines séances.

Enfin, les caractères et la taille de la police doivent permettre une lecture facile pendant la projection. Si vous produisez des textes à l'ordinateur, faites-les à double interligne et utilisez une taille de police assez grande. Limitez la longueur du texte à une seule page. Vérifiez la visibilité des transparents à distance avant de les utiliser avec un groupe d'élèves.

## L'agrandissement des textes et leur utilisation

Il existe d'excellents livres de grand format et des affiches avec de gros caractères, conçus spécialement pour les élèves plus âgés. Si vous disposez d'une photocopieuse dotée d'une fonction d'agrandissement, faites l'expérience d'exemplaires de textes très agrandis. Vous devrez probablement procéder en quelques étapes – en agrandissant plusieurs sections d'un texte, avant de les assembler. Agrandir une feuille de format lettre au double de sa taille ne sera pas suffisant pour un groupe de plus de cinq ou six élèves. L'opération est facilitée quand vous utilisez une grande taille de police en tapant vos textes. De nombreuses écoles disposent d'un agrandisseur qui produit des exemplaires de la taille d'une affiche à partir d'une page de format lettre. Il s'agit là d'un outil précieux, car vous pouvez annoter les affiches avant de les disposer en classe, et elles serviront de modèles aux élèves qui s'y référeront dans leurs différentes activités. Ces affiches sont réutilisables si elles sont rangées avec soin (comme les transparents).

Les tableaux à poches et les bandes de papier s'avèrent aussi très utiles lors des séances de lecture partagée : poésie, citations, premiers jets, productions écrites des élèves et extraits de textes peuvent être écrits sur des bandes de papier. Ces bandes seront placées dans l'ordre ou déplacées pour ajouter d'autres idées. Elles serviront aussi à montrer aux élèves comment s'y prendre pour décomposer des phrases complexes.

Procurez-vous de grands cahiers, afin d'y écrire des textes utilisés en lecture partagée. Vous copierez ces textes vous-mêmes ou demanderez à un élève de le faire, en écrivant clairement et soigneusement. Ces grands cahiers serviront également aux exercices d'écriture partagée ou interactive. Les groupes d'élèves aiment écrire dans ces grands cahiers et faire part de leur travail à la classe. Le facteur important dans tous les textes écrits à la main est la clarté : l'écriture doit être facilement lisible pour tous les participants et, bien sûr, l'orthographe, la syntaxe et la ponctuation doivent être soignées si le texte écrit sert d'exemple.

Les textes de grand format écrits par l'enseignant sont probablement un des plus anciens instruments pédagogiques. Tous les enseignants expérimentés ont produit des affiches, des tableaux, des livres et d'autres formes de textes, pour différentes activités. Si vous n'avez pas beaucoup d'expérience dans ce domaine, voici quelques suggestions :

- Préparez votre texte avant de commencer à l'écrire.
- Tracez des lignes avec une règle et prévoyez l'espace requis par le texte – il n'y a rien de plus frustrant que d'arriver aux deux derniers vers d'un poème et de manquer d'espace pour les recopier.
- Répartissez le texte sur plusieurs pages s'il le faut, plutôt que le comprimer en une seule, ce qui le rendrait difficile à lire à distance.
- Utilisez un marqueur à pointe assez grosse, et écrivez le texte en écriture script plutôt qu'en écriture cursive. Le but est la lisibilité, et non la modélisation de l'écriture à la main.
- Vérifiez votre orthographe et votre syntaxe, car ce que l'enseignant réalise sert toujours de modèle aux élèves.

Un chevalet, préférablement muni d'une tablette assez basse et d'une bordure supérieure avec pinces, est très pratique pour visionner en groupe des livres de grand format, des affiches ou des tableaux.

## Le rangement

Les livres de grand format, les affiches et les tableaux posent souvent des problèmes de rangement dans la classe. Les solutions comprennent des tiroirs de rangement spécialement conçus, des armoires et des placards, ou des tablettes munies de rails pour les cintres. Une corde à linge et des épingles vous permettent de suspendre des textes agrandis et les travaux des élèves, et offrent des possibilités de rangement supplémentaire. Parlez avec d'autres enseignants du primaire des moyens qu'ils utilisent et partagez vos idées.

## Les accessoires

### Des feuilles de papier ou un tableau blanc

Les grandes feuilles de papier et les tableaux blancs de même format sont des aides inestimables lors des séances de lecture partagée. Il vous faudra également des marqueurs ou des crayons appropriés, et une brosse pour effacer le tableau. On trouve sur le marché des blocs de feuilles de grand format munies de bandes autocollantes. Ces feuilles peuvent servir d'autocollants géants et se fixent facilement aux murs une fois remplies. Ces accessoires sont indispensables aux séances de lecture partagée et leurs usages sont nombreux :

- écrire les prédictions, les observations ou les réponses des élèves ;
- noter les mots qui doivent faire l'objet d'une étude ;
- montrer l'application d'une stratégie ;
- décomposer les mots en leurs différentes parties ;
- écrire une phrase pour en illustrer la syntaxe ;
- créer un organisateur graphique pour clarifier ou structurer les idées ;
- faire un diagramme pour illustrer des relations observées dans un texte ;
- dresser des listes de synonymes ;
- écrire des idées ou associations d'idées exprimées dans un remue-méninges.

Pour assurer la participation active des élèves, il faut s'assurer que ces accessoires sont facilement accessibles. Les tableaux créés par la classe peuvent être affichés pour référence future lors du travail individuel ou en groupe, et servir d'exemples en écriture partagée. Certains tableaux peuvent être laminés et suspendus à des pinces de pantalons, ce qui permet de les suspendre à un crochet ou à un cintre.

### Les feuillets autoadhésifs (papillons adhésifs)

Les feuillets autoadhésifs de différents formats sont aussi très utiles en lecture partagée. Voici certaines de leurs utilisations :

- montrer et modéliser l'écriture de notes ;
- écrire des légendes pour accompagner des illustrations ;
- noter des questions soulevées pendant la lecture ;
- noter les prédictions, les observations et les réponses des élèves ;
- souligner des éléments spécifiques tels que les idées maîtresses, les événements prévisibles ou les séquences chronologiques.

Du ruban de couleur translucide permet d'attirer l'attention des élèves sur des mots particuliers ou autres éléments du texte.

D'autres accessoires utilisés de façon originale vous aideront à atteindre vos objectifs en lecture partagée, mais le dénominateur commun doit toujours être la visibilité et la clarté des textes pour tous les élèves. Il peut être risqué de vouloir essayer trop de choses différentes lors d'une même séance. Un enseignant qui utilise trois couleurs différentes pour encercler des mots ou des sections de texte, par exemple, peut se retrouver à la fin de la séance avec un texte illisible et des élèves très confus. Si votre texte de lecture partagée finit par ressembler à un tableau d'affichage dans un dortoir de collège, vous en avez peut-être trop fait ! Toutes les inscriptions et les annotations faites sur un texte doivent être clairement liées aux objectifs de la séance.

### Les baguettes

On utilise une baguette afin de diriger l'attention des élèves vers des éléments particuliers d'un texte. Durant les premières années du primaire, les enseignants s'en servent pour indiquer les débuts de mots, les endroits où la lecture doit commencer, ou l'enchaînement à suivre à la fin de chaque ligne. Les élèves plus âgés n'ont plus autant besoin de se concentrer sur les lettres ou les conventions typographiques. Ils profiteront tout de même de cette aide pour distinguer les caractéristiques plus spécifiques d'un texte, comme les constructions de phrases, les règles grammaticales, les motifs répétitifs en poésie, de même que les traits distinctifs des textes documentaires (légendes et annotations, organigrammes, cartes, etc.). La baguette doit être assez longue pour vous éviter d'obstruer la vue du texte avec votre bras, et assez mince pour ne pas cacher le texte. Un crayon avec une pointe extensible peut aussi remplacer avantageusement la baguette. Il est facile à trouver sur le marché. La plupart des règles sont trop larges pour servir de baguette.

Si vous utilisez un rétroprojecteur, employez un crayon fin ou un stylo, au lieu de la baguette. N'essayez pas de le pointer directement sur l'écran, car il faudrait pour cela vous tenir entre le projecteur et l'écran, ce qui empêcherait les élèves de voir.

# Conclusion

## Déterminer les besoins d'enseignement en lecture : un exercice d'évaluation formateur

La plupart des enfants apprennent à lire avec des textes narratifs. Ils sont donc moins habitués à la structure et au vocabulaire des textes informatifs. Des recherches (Duke, 2000) ont démontré que dans les premières années du primaire, les élèves consacrent en moyenne aussi peu que 3,6 minutes par jour aux textes informatifs. Toutefois, aux niveaux suivants du cours primaire, les exigences des textes informatifs et plus complexes augmentent de façon spectaculaire. Ces nouveaux défis causent souvent une «diminution du rendement scolaire» vers la quatrième année. La confiance des élèves et leur degré de réussite peuvent ainsi en souffrir. Pour de nombreux élèves, ce combat se poursuit au cycle moyen et au niveau secondaire, et cela se reflète dans leurs résultats.

Sans enseignement explicite des habiletés et des stratégies à utiliser avec les textes informatifs, de nombreux élèves ne rattraperont jamais ce retard. Ces contre-performances peuvent même empirer lorsque les enseignants du cycle moyen et du niveau secondaire prennent pour acquis que leurs élèves ont la compétence voulue pour lire des textes informatifs, et se contentent d'enseigner leur matière aux élèves. Le succès des élèves dans ces matières repose sur leur lecture et leur compréhension d'une grande quantité de renseignements qu'ils trouvent dans les manuels.

L'exercice suivant[1] a été conçu pour aider les enseignants à réfléchir aux problèmes quotidiens auxquels les élèves sont soumis dans leur lecture. Les enseignants doivent examiner tout le matériel de lecture qu'un élève moyen doit utiliser (incluant les textes informatifs et narratifs). L'exercice peut également servir d'outil de formation du personnel enseignant à plusieurs niveaux du cours primaire.

---

1. Adaptation autorisée d'un concept développé par Mélanie Winthrop, consultante en littératie.

# Évaluer les exigences de lecture des élèves

Organisez une réunion pour discuter avec tous les enseignants et le personnel de soutien, de l'ensemble du matériel de lecture qu'un élève est sujet à examiner au cours d'une semaine. Cela devrait concerner les enseignants de toutes les matières (éducation physique, musique, informatique, art, langue seconde, etc.) et le personnel de soutien de l'école (conseillers en orientation, responsables de la cafétéria, art oratoire, spécialistes de la lecture).

Demandez à tous les participants d'apporter tous les types de textes ou tout matériel imprimé qu'un élève peut avoir à lire ou doit utiliser en une semaine. Demandez-leur de reproduire ou de rassembler tout ce matériel de lecture, incluant celui utilisé seulement à l'occasion, comme les menus de programme informatique, les sites Web, les instructions et les notes. Disposez ce matériel sur une table. Votre collection devrait comprendre :

- un poème ;
- un roman trouvé en classe ;
- un livre de lecture individuelle ;
- un article de journal ;
- plusieurs feuilles d'exercices ;
- des pages d'un manuel de mathématiques ;
- des directives pour un projet de classe ;
- des livres de référence en sciences humaines ;
- un manuel scientifique ;
- des textes avec des cartes, graphiques, tableaux et diagrammes ;
- une note de l'école.

Cet exercice vous montrera la grande diversité des textes soumis à un élève en une journée ou en une semaine. Discutez de ce qui peut être nouveau pour les élèves dans ce matériel, et de ce qu'ils doivent lire. Les élèves sont-ils réellement capables de lire ces textes ? Les directives ou l'étayage sont-ils suffisants ? L'environnement de l'élève est-il bruyant ou source de distractions ? De combien de temps l'élève dispose-t-il pour cette lecture ? De quelle façon est-il censé réagir au texte ? Quelles sont les attentes des parents pour cet élève ? Quel support l'élève peut-il trouver à la maison ? Tous ces facteurs influencent les résultats en lecture.

Cette activité ouvrira les yeux de plusieurs enseignants. Si vous ou vos collègues êtes dépassés par les difficultés imprévues révélées par cet exercice, vous pouvez engager une discussion sur la variété de textes et d'attentes de lecture des élèves d'un niveau scolaire particulier. Pour cette recherche initiale, vous considérez un élève en particulier, un groupe d'élèves, ou une matière du programme d'études.

Pensez aux avantages de la lecture partagée pour vous aider à relever ces défis de lecture. Souvenez-vous que la lecture partagée peut prendre plusieurs formes, et que le « lecteur modèle » qui fait la modélisation et assure l'étayage n'est pas nécessairement l'enseignant.

Voici quelques questions qui faciliteront cette recherche :

- *Combien d'élèves ont les habiletés de lecture requises pour comprendre le matériel qui leur est proposé ?*
- *À qui revient la responsabilité d'enseigner ces habiletés ? Quelle est la meilleure façon de les enseigner ?*
- *Ces habiletés ou stratégies peuvent-elles être améliorées dans toutes les classes ?*
- *De quoi les élèves sont-ils actuellement capables ? En quoi cela aide-t-il à leur enseigner de nouvelles habiletés de lecture ?*

- *Quelles techniques ou approches pédagogiques utilisées par des collègues sont adaptables en classe ?*
- *Comment peut-on proposer des textes plus appropriés ?*
- *Comment les pratiques d'enseignement reflètent-elles les objectifs du programme d'études ?*
- *Quel impact cela a-t-il sur les préparations de cours ?*

Si on considère une classe entière ou toutes les classes d'un même niveau scolaire, il peut devenir évident que certains élèves (peut-être même plusieurs) ne réussiront pas s'ils n'acquièrent pas les compétences de lecture requises par une aussi grande variété de textes.

La lecture partagée est une approche facile à apprendre et à utiliser. Si les enseignants de toutes les matières du programme d'études se réunissent pour examiner les textes que leurs élèves doivent lire, ils peuvent envisager les différentes façons d'encourager la lecture des élèves. Les suggestions de ce livre se veulent des repères pour tous les enseignants, et pas seulement pour ceux qui «enseignent» la lecture.

# Bibliographie

Allington, R. L. (2001). *What Really Matters for Struggling Readers: Designing Research-based Programs*. New York: Addison Wesley Longman.

Allington, R. L. (2002). «Research on Reading/Learning Disability Interventions». In A. E. Farstrup and S. J. Samuels (eds), *What Research Has to Say About Reading Instruction* (3rd edition). Newark, DE: International Reading Association, p. 261-290.

Au, K. (2002). «Multicultural Factors and the Effective Instruction of Students of Diverse Backgrounds». In A. E. Farstrup and S. J. Samuels (eds), *What Research Has to Say About Reading Instruction* (3rd edition). Newark, DE: International Reading Association, p. 392-413.

Barell, J. (1988). In B. J. Millis and P. G. Cottell, Jr. (eds) (1998). *Cooperative Learning for the Higher Education Faculty*. Oryx Press, American Council on Education Series on Higher Education.

Baumann, J., L. Jones and N. Seifert-Kessell (1993). «Using Think Alouds to Enhance Children's Comprehension Monitoring Abilities». *The Reading Teacher*, vol. 47, n° 3, p. 184-193.

Braunger, J. and J. Lewis (1998). *Building a Knowledge Base in Reading*. Oregon: Northwest Regional Educational Laboratory's Curriculum and Instruction Services.

Bruner (1983). *Child's Talk: Learning to Use Language*. New York: Norton.

Calkins, L. (2001). *The Art of Teaching Reading*. New York: Addison-Wesley.

Clay, M. (1991). *Becoming Literate: The Construction of Inner Control*. Portsmouth, NH: Heinemann.

Daniels, H. (1994). *Literature Circles*. York, ME: Stenhouse.

Dowhower, S. (1999). «Supporting a Strategic Stance in the Classroom: A Comprehension Framework for Helping Teachers to Help Students to Be Strategic». *The Reading Teacher*, vol. 52, n° 7, p. 672-683.

Duke, N. (2002). «Informational Text? The Research Says, Yes!» In L. Hoyt, M. Mooney and B. Parkes (eds), *Exploring Informational Texts: From Theory to Practice*. Portsmouth, NH: Heinemann, p. 2-7.

Duke, N. and D. Pearson (2002). «Effective Practices for developing Reading Comprehension». In A. E. Farstrup and S. J. Samuels (eds), *What Research Has to Say About Reading Instruction* (3rd edition). Newark, DE: International Reading Association, p. 205-242.

Durkin, D. (1979). «What Classroom Observations Reveal About Reading Comprehension Instruction». *Reading Research Quarterly*, vol. 14, n° 4, p. 481-553.

Educational Department of Western Australia (1993). *First Steps Series*. Portsmouth, NH: Heinemann.

Elley, W. (1989). «Vocabulary Acquisition from Listening to Stories». *Reading Research Quarterly*, vol. 24, n° 2, p. 174-187.

Fountas, I. C. and G. S. Pinnell (2001). *Guiding Readers and Writers Grades 3-6: Teaching Comprehension, Genre, and Content Literacy*. Portsmouth, NH: Heinemann.

Graves, D. (1983). *Writing: Teachers and Children at Work*. Portsmouth, NH: Heinemann.

Graves, M. and S. Watts-Taffe (2002). «The Place of Word Consciousness in a Research-Based Vocabulary Program». In A. E. Farstrup and S. J. Samuels (eds), *What Research Has to Say About Reading Instruction* (3rd edition). Newark, DE: International Reading Association, p. 140-165.

Harvey, S. and A. Goudvis (2000). *Strategies That Work: Teaching Comprehension to Enhance Understanding*. York, ME: Stenhouse Publishers.

Holdaway, D. (1979). *The Foundations of Literacy*. Portsmouth, NH: Heinemann.

Holdaway, D. (1980). *Independence in Reading*. Gosford, NSW: Ashton Scholastic.

International Association for the Evaluation of Educational Achievement (IEA). (2000). *Framework and Specifications for PIRLS Assessment 2001*. Boston: International Study Center, Lynch School of Education, Boston College.

Johnson, D. W., R. Johnson and E. Holubec (1993). *Circles of Learning* (4th edition). Edina, MN: Interaction Book Company.

Keene, E. and S. Zimmermann (1997). *Mosaic of Thought: Teaching Comprehension in a Reader's Workshop*. Portsmouth, NH: Heinemann.

Koskinen, P., I. Blum, S. Bisson, S. Phillips, T. Creamer and T. Baker (1999). «Shared Reading Books and Audiotapes: Supporting Diverse Students in School and at Home». *The Reading Teacher*, vol. 52, n° 5, p. 430-444.

Learning Media Limited (2000). *Steps to Guided Reading: A Professional Development Course for Grades 3 and Beyond Course Book*. Wellington: Learning Media Limited.

Luke, A. and P. Freebody (1997). «The Social Practice of Reading». In S. Muspratt, A. Luke and P. Freebody (eds), *Constructing Critical Literacies*. St Leonards, NSW: Allen and Urwin.

Mercer, M. (1994). «Language in Educational Practice». In J. Bourne (ed), *Thinking Through Primary Practice*. London: Routledge.

Ministry of Education (2000). *The New Zealand Curriculum Exemplars*. Wellington: Learning Media Limited.

Ministry of Education (2002). *Connections between Reading and Writing: A Professional Development Module for Schools*. Wellington: Learning Media Limited.

Ministry of Education (2003). *Effective Literacy Practice*. Wellington: Learning Media Limited.

Mooney, M. (1988). *Developing Life-Long Learners*. Wellington: Learning Media Limited.

Moustafa, M. (1997). *Beyond Traditional Phonics: Research Discoveries and Reading Instruction*. Portsmouth, NH: Heinemann.

Opitz, M. and T. Rasinski (1998). *Good-Bye Round Robin: 25 effective Oral Reading Strategies*. Portsmouth, NH: Heinemann.

Oster, L. (2001). «Using the Think-aloud for Reading Instruction». *The Reading Teacher*, vol. 55, n° 1, p. 64-69.

Palincsar, A. S. and A. L. Brown (1985). «Reciprocal Teaching: Activities to Promote Read(ing) with Your Mind». In T. L. Harris and E. J. Cooper (eds), *Reading, Thinking and Concept Development: Strategies for the Classroom*. New York: The College Board.

Parkes, B. (2000). *Read It Again! Revisiting Shared Reading*. Portland, ME: Stenhouse Publishers.

Pearson, D. and M. Gallagher (1983). «The Instruction of Reading Comprehension». *Contemporary Educational Psychology*, vol. 8, mars 1983, p. 317-344.

Pressley, M. and P. Afflerbach (1995). *Verbal Protocols of Reading: The Nature of Constructively Responsive Reading*. Hillsdale, NJ: Lawrence Erlbaum.

Pressley, M. (1998). *Reading Instruction That Works: The Case for Balanced Teaching*. New York: Guilford.

Pressley, M. (2002). «A Turn-of-the-Century Status Report». In C. Collins-Block and M. Pressley (eds), *Comprehension Instruction: Research-based Best Practices*. New York: Guidford Press, p. 11-27.

Routman, R. (2000). *Conversations: Strategies for Teaching, Learning, and Evaluating*. Portsmouth, NH: Heinemann.

Smith, J. and W. Elley (1997). *How Children Learn to Write*. Auckland: Longman.

Swanborn, M. and K. de Glopper (1999). «Incidental Word Learning while Reading: A Meta-analysis». *Review of Educational Research*, vol. 69, n° 3, p. 261-285.

Trabasso, T. and E. Bouchard (2002). In C. Block and M. Pressley (eds), *Comprehension Instruction: Research Based Best Practice*. New York: The Guilford Press, p. 179-200.

Vacca, R. T. (2002). «Making a Difference in Adolescents School Lives: Visible and Invisible Aspects of Content Area Reading». In A. E. Farstrup and S. J. Samuels (eds), *What Research Has To Say About Reading Instruction* (3rd edition). Newark, DE: International Reading Association, p. 184-204.

Villaume, S. K. and E. G. Brabman (2002). «Comprehension Instruction: Beyond Strategies». *The Reading Teacher*, vol. 55, n° 7, p. 672-675.

Vygotsky, L. S. (1978). *Mind in Society: the Development of Higher Psychological Processes*. M. Cole, V. John Steiner, S. Scribner and E. Souberman (eds and trans), Cambridge, MS: Harvard University Press.

Wilhelm, J. D. (2001). *Improving Comprehension with Think-Aloud Strategies*. New York: Scholastic Professional Books.

Williams, J. (2001). «Classroom Conversations: Opportunities to Learn for ESL Students in Mainstream Classroom». *The Reading Teacher*, vol. 54, n° 8, p. 750-757.

Worthy, J. and K. Broaddus (2002). «Fluency beyond the Primary Grades: From Group Performance to Silent, Independent Reading». *The Reading Teacher*, vol. 55, n° 4, p. 334-343.

# Références des extraits utilisés

Bacon, F. (2006). *Le voyage de Marco Polo*, Montréal, Chenelière Éducation, collection Envol, p. 4.

Belcher, A. (2006). Affiche « La Terre en évolution », *Zénith Lecture partagée*, Chenelière Éducation, Ensemble C.

Bonallack, J. (2000). *Finding your Way*, Orbit Grade 5, Chapter Books series, Wellington, Learning Media Limited.

Boudreau, J. (2003). *Le mystère de la maison grise*, Chenelière Éducation.

Chapman, B. (2006). Affiche « La puce », *Zénith Lecture partagée*, Chenelière Éducation, Ensemble A.

Eggleton, J. (2003). *Publicités pour animaux*, Montréal, Chenelière Éducation, coll. Alizé Grand Vent 1, p. 10-11.

Eggleton, J. (2005). *Sous la feuille*, Montréal, Chenelière Éducation, coll. Alizé Vent léger 1, p. 5.

Eggleton, J. (2006). *La publicité*, Montréal, Chenelière Éducation, coll. Alizé Vent du large 2, p. 24.

Frères des écoles chrétiennes (1958). « Ce que vaut un sourire », *Feuille d'érable*.

Gosselin, L. (2004). *L'enfant du lac Miroir*, Gatineau, Vents d'Ouest.

Hammonds, H. (2005). *L'histoire des transports*, Montréal, Chenelière Éducation, coll. Zap Sciences plus, série Rubis, p. 12-13.

Hébert, Anne (1997). *Poèmes pour la main gauche*, Montréal, Boréal.

Irvine, S. (2004). *La vie dans les prairies*, Montréal, Chenelière Éducation, coll. Enquête, p. 15-16.

Kenna, A. (1999). *How I Met Archie*, Orbit Grade 4, Chapter Books series, Wellington, Learning Media Limited.

Learning Media (2006). Affiche « Toujours plus chaud », *Zénith Lecture partagée*, Montréal, Chenelière Éducation, Ensemble D.

Marriott, J. (2006). Affiche « L'Endurance », *Zénith Lecture partagée*, Montréal, Chenelière Éducation, Ensemble D.

Morris, R. (2006). Affiche « Le diable de Tasmanie », *Zénith Lecture partagée*, Montréal, Chenelière Éducation, Ensemble B.

Morrison, I. (2003). *À toute vitesse*, Montréal, Chenelière Éducation, coll. Enquête, p. 9.

Ouimet, J. (2002). *Sur les traces du caméléon*, Gatineau, Vents d'Ouest.

Parker, C. (2006). Affiche « Viser très haut », *Zénith Lecture partagée*, Montréal, Chenelière Éducation, Ensemble B.

Quinn, P. (2006). Affiche « Le courriel », *Zénith Lecture partagée*, Montréal, Chenelière Éducation, Ensemble D.

Sauriol, L.-M. (2001). *L'espion du 307*, Gatineau, Vents d'Ouest.

Thompson, J. (2000). « From Rock to Rock », *Connected 3*, Wellington, Learning Media Limited.

Time Inc. (2003). *Time for kids*, vol. 9, n° 2, (septembre 2003), New York, Time Inc.

Windsor, J. (2003). *Sur la liste*, Montréal, Chenelière Éducation, coll. Alizé Grand Vent 2, p. 15.